À l'école des albums

Méthode de lecture CP

Sous la direction d'**Agnès Perrin**,
Maitre de Conférences en littérature,
FDE/ESPE, Université de Montpellier

Anne-Pierre Van Rensbergen,
Professeure des Écoles en REP+, Nimes

Sophie Warnet
PEMF, Pierrelatte

Sylvie Girard, PEMF, Conseillère pédagogique
Françoise Bouvard, PEMF, Conseillère pédagogique
Brigitte Hermon Duc, PEMF, Conseillère pédagogique

RETZ
www.editions-retz.com
9 bis, rue Abel Hovelacque
75013 Paris

Modules 1 à 6

- Le maitre ou la maitresse lit un album.

- Avant de lire le texte, on peut retrouver des mots que l'on sait déjà lire.

On lit des extraits de cet album chaque semaine. Ils contiennent au moins 70% de mots décodables.

On échange pour mieux comprendre le texte.

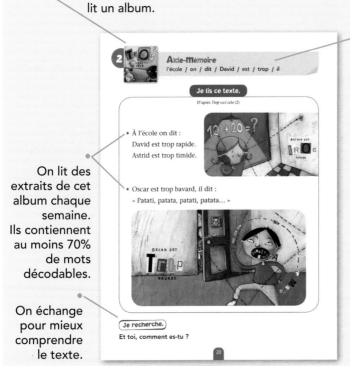

En début d'année, on apprend à combiner les lettres et les sons.

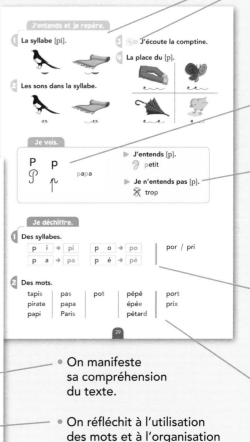

On relit des mots du texte pour s'entrainer.

On lit de nouvelles phrases et un nouveau texte.

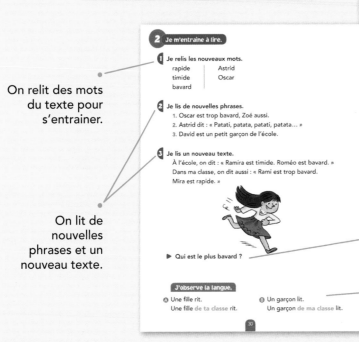

- On manifeste sa compréhension du texte.

- On réfléchit à l'utilisation des mots et à l'organisation des phrases.

ISBN 978-2-7256-3426-5
© Éditions Retz, 2017 pour la présente édition
© Éditions Retz, 2007 pour la 1re édition

Ce manuel suit l'orthographe recommandée par les rectifications de 1990 et les programmes scolaires. Voir le site http://www.orthographe-recommandee.info et son mini guide d'information. Les albums jeunesse ne sont pas concernés.

Modules **7** à **10**

À partir du module 7, on connait tous les sons,
alors on retravaille à partir des lettres
pour apprendre à lire plus vite.

On découpe
les mots
en syllabes.
On repère
la place de
la syllabe,
puis du son.

On découvre
un nouveau son
à partir d'une
comptine lue
par le maitre
ou la maitresse
ou écoutée.

On reconnait
les lettres qui
font le son, on
apprend à les
écrire.

On apprend
à reconnaitre
les lettres
muettes ou les
différents sons
que peuvent
faire une lettre.

On joue avec les mots et
les lettres grâce à un petit
texte amusant.

On retrouve
les combinaisons
de lettres que l'on connait.

On observe et on lit
des mots classés par
combinaisons de lettres
et de sons.

On s'entraine à lire
de mieux en mieux.

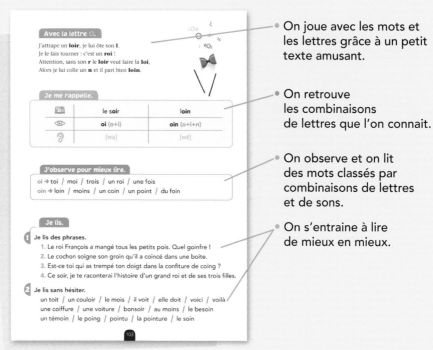

À la fin de chaque module, une page
de bilan permet de retrouver
tout ce que l'on a appris.

On forme
des syllabes
pour lire de
plus en plus
vite.

On s'entraine
à lire des
mots.

Les mots que l'on a appris
à écrire sans erreur.

On se rappelle les
combinaisons de
lettres et de sons
que l'on a apprises
dans le module.

On collectionne les nouvelles
combinaisons de lettres et de sons
que l'on a rencontrées
dans les textes.

On se rappelle les observations
sur la langue.

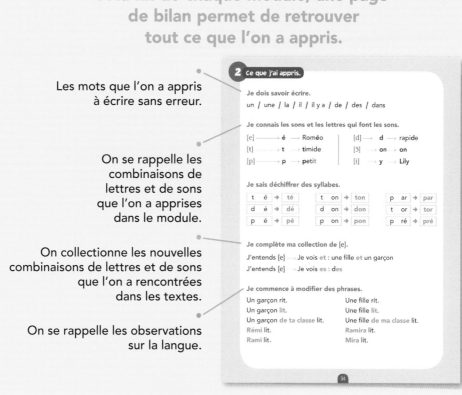

SOMMAIRE

4

Étude du code		Observation de la langue	Situation d'écriture personnelle	Pages
Des sons...	vers les graphèmes			
l'alphabet [ʀa] / [ʀi]	ra ri	– Reconnaitre les mots, les lettres. – Reconnaitre les syllabes.	Écrire des phrases à partir d'une phrase modèle en faisant varier le sujet ou le verbe.	9 à 13
[ʀa] [ʀ] [a] [ʀi] [i]	r, a, i	Construire une phrase simple (majuscule et point).		14 à 17
[ma] [m] [ʀo] [o] ou [ɔ]	m o	Faire varier des phrases par modification du sujet.		18 à 22
[ʀe] [e] [ta] [t]	é t	Faire varier des phrases par modification du sujet et du verbe.	– Écrire des phrases en substituant des mots. – Écrire des phrases en enrichissant une phrase simple.	23 à 27
[pi] [p] [di] [d]	p d	Faire varier des phrases par : – extension du groupe nominal ; – variation du déterminant et du verbe.		28 à 31
[tɔ̃][ɔ̃]	on	Reconnaitre des phrases et les faire varier.		32 à 34
[lɔ̃] [l] [ka] [k]	l c, qu	Enrichir les groupes nominaux par l'ajout d'un adjectif.	– Écrire des phrases pour légender un dessin. – Écrire une phrase qui pourrait correspondre à une page de l'album.	35 à 39
[ty] [y] [bo] [b]	u b	Enrichir les groupes nominaux par coordination de deux adjectifs.		40 à 43
[va] [v]	v	Enrichir et faire varier les phrases et les groupes nominaux.		44 à 48
[pwa] [wa] [fe] [f]	oi f, ph	Pronominaliser un nom de personne par *il* ou *elle*.	S'approprier une construction syntaxique : écrire une phrase du type « il était une fois... qui... »	49 à 53
[sɔ̃] [s] [bu] [u]	s, .ss., ç ou	Pronominaliser un groupe nominal expansé par *il* ou *elle*.		54 à 57
[ʀə] [ə]	e	Faire varier et pronominaliser un groupe nominal masculin ou féminin.		58 à 60
[lɛ] [ɛ] [ni] [n]	è, ê, e.., ai n	Pronominaliser un groupe nominal par *ils* ou *elles*.	À partir d'une liste de personnages et de lieux, rédiger un court récit et l'illustrer.	61 à 65
[pɑ̃] [ɑ̃] [ʒy] [ʒ]	an, en, em j, g	Pronominaliser un groupe nominal expansé par *ils* ou *elles*.		66 à 69
[ʃɔ̃] [ʃ] [zo] [z]	ch z, .s.			70 à 73
[gɑ̃] [g] [pɛ̃] [ɛ̃]	g, gu in, ain	Pronominaliser un groupe nominal comportant deux noms propres coordonnés.		74 à 80
[tœr] [œ] [ø] [ɲɔ̃] [ɲ]	eu, œu gn	Observer la variation en genre audible du déterminant et du nom.	Écrire des pensées à la manière d'Elisabeth Brami.	81 à 85
[pje] [j] [taj] [j]	i, y .ll., .ill., .il	Observer et comparer l'orthographe dans la variation en genre audible du nom et du déterminant.		86 à 90

	Compétences littéraire, culturelle, morale et civique	Unités

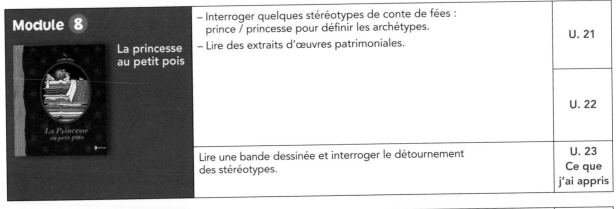
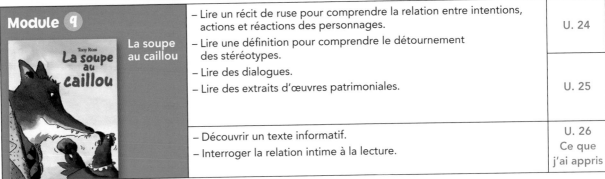
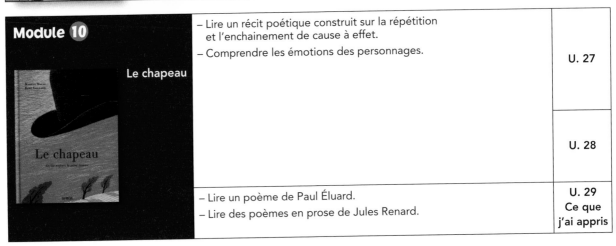

Étude du code		Observation de la langue	Situation d'écriture personnelle	Pages
Des lettres...	vers les sons			
Syllabe orale, syllabe écrite **Avec la lettre** ○ o, ou, on, om	[o] [u] [ɔ̃]	Observer la variation en genre audible dans un groupe nominal expansé par un adjectif.	– Écrire les pensées et paroles de personnages d'un récit. – Écrire des listes.	**91 à 99**
Avec la lettre ○ oi, oin **Avec la lettre** C ca, co, cu, ce, ci	[wa] [wɛ̃] [k] [s]			**100 à 108**
Avec la lettre A a, an, am, au ai, ain, aim	[a] [ã] [o] [ɔ] [ɛ] [ɛ̃]	Faire prendre conscience de la notion de synonymie.	– Écrire des réponses à des questions et justifier sa réponse.	**109 à 117**
Avec la lettre G ga, go, gu, ge, gi gue, gui, geai, geon	[g] [ʒ] [g] [ʒ]	– Faire prendre conscience de la notion d'antonymie. – Comprendre le sens d'un mot à l'aide d'une définition.	– Écrire un épisode d'un récit en lien avec le texte et des outils donnés dans le manuel.	**118 à 125**
Avec la lettre I in, im, ine	[ɛ̃] [in]			**126 à 130**
Avec la lettre E e, eu, eau en, em, ei, ein	[ə] [ø] ou [œ] [o] [ã] [ɛ] [ɛ̃]	Observer des phrases de formes affirmative et négative.	Écrire les pensées des personnages, une explication en lien avec le texte, un dialogue entre deux personnages.	**131 à 139**
Avec la lettre T ti, tion, tien **Avec la lettre S** s, .ss.	[t] [s] [z] [s]	Observer la ponctuation et les verbes introducteurs de dialogues.		**140 à 147**
Avec la lettre X x	[ks] [z] [s] [gz]	Observer différents types de phrases dans un dialogue.		**148 à 152**
Avec les lettres I et Y i, y, .ill. **Avec les lettres il, ille** ail, aille, euil, euille, eil, eille, ouil, ouille	[j] [ij] [aj] [œj] [ɛj] [uj]	Observer la variation en nombre : – du sujet masculin et du verbe *avoir* ; – du sujet féminin et du verbe *avoir*.	Rédiger des suites de récit à structure répétitive, des poèmes à la manière de Paul Éluard et Jules Renard.	**153 à 161**
Avec la lettre E el, ec, er, et, ez, ette elle, erre, esse, enne	[ɛl] [ɛc] [ɛr] [ɛ] [e] [ɛt] [ɛl] [ɛr] [ɛs] [ɛn]	Observer la variation en nombre : – du sujet masculin et du verbe *être*, – du sujet féminin et du verbe *être*.		**162 à 169**
Lettres muettes		Observer la variation en nombre du sujet masculin ou féminin et d'un verbe du 1er groupe.		**170 à 174**

Les 8 albums de la méthode de lecture

2

Trop ceci cela

Dans une classe, en début d'année, les enfants se découvrent et s'aperçoivent qu'ils sont très différents et c'est tant mieux.

Ce texte, à la forme répétitive, permet de s'exercer au plus vite au pouvoir de lire.

3

Léon et son croco

Léon vit dans un village africain où il fait très chaud. Heureusement, il y a de l'eau. Mais un crocodile vit dans le fleuve et Léon tombe à l'eau…

Ce texte rapporte, par des phrases courtes, le fil des évènements, un peu comme dans un film.

4

Le petit roi

« Il était une fois, un petit roi qui s'appelait moi… »

Un texte à accumulation qui met en scène l'enfant, un petit roi, quand il apprend à vivre avec les autres. De quoi débattre !

5

L'arbre lecteur

Lire sous les branches de son arbre : un vrai plaisir. Mais que faire lorsque cet arbre est frappé par la foudre ? Lui donner une seconde vie…

Ce texte, à la première personne, marque l'entrée dans le monde des récits.

7

C'est pas moi !

Qui n'a pas dit cette phrase à ses parents fâchés ? Injustice ? Pas si sûr…

Ce texte apprend à se méfier des personnages quand ils racontent leur histoire.

8

La Princesse au petit pois

Dans l'univers des contes, il est une princesse particulière. Son arrivée insolite mérite qu'on s'intéresse à son cas de plus près.

Ce texte, qui reprend le conte d'Andersen léger et plein d'humour, est accessible aux lecteurs en herbe.

9

La soupe au caillou

Recevoir la visite du Méchant, Méchant Loup n'est pas vraiment une aubaine quand on est poule. Quoique, si la poule est rusée…

Une réécriture humoristique de La Soupe au caillou, par Tony Ross, qui permet de découvrir les dialogues entre les personnages.

10

Le chapeau

Un chapeau s'envole et des histoires s'enchâssent. Plusieurs histoires et pourtant une seule et même histoire, toujours la même et qui recommence…

Ce texte, magnifiquement illustré, joue avec toutes les ressources du langage (sons, rythme, syntaxe) et invite le jeune lecteur à entrer en poésie.

Remerciements

Les éditions Retz remercient les éditeurs jeunesse pour leur aimable autorisation de reproduction des albums :

- *Trop ceci cela*, Caroline Palayer, éditions Frimousse
- *Léon et son croco*, Magdalena, illustré par Zaü, éditions Père Castor Flammarion
- *Le Petit Roi*, Anne-Claire Lévêque, illustré par Isabelle Simon, éditions du Rouergue
- *L'Arbre lecteur*, Didier Lévy, illustré par Tiziana Romanin, éditions Sarbacane
- *C'est pas moi*, Emmanuelle Robert, illustré par Ronan Badel, éditions Seuil jeunesse
- *La Princesse au petit pois*, d'après H. C. Andersen, illustré par Camille Semelet, éditions Nathan
- *La Soupe au caillou*, Tony Ross, éditions Mijade
- *Le Chapeau*, Marcus Malte, illustré par Rémi Saillard, éditions Syros

À l'école

Programmes 2016

À l'école des albums
Méthode de lecture CP

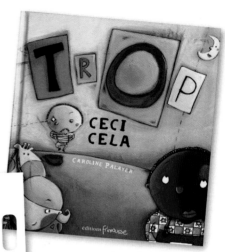

TROP
CECI CELA
CAROLINE PALAYER
éditions frimousse

Septembre 2017						
L	M	M	J	V	S	D
				1	2	3
4	5	6	7	8	9	10
11	12	13	14	15	16	17
18	19	20	21	22	23	24
25	26	27	28	29	30	

MARDI
12
SEPTEMBRE

37ᵉ sem.   Sᵗ APOLLINAIRE   255-110

Octobre 2017						
L	M	M	J	V	S	D
						1
2	3	4	5	6	7	8
9	10	11	12	13	14	15
16	17	18	19	20	21	22
23	24	25	26	27	28	29
30	31					

☀ lever 5 h 24, coucher 18 h 08   ☾ le 13

Calendrier 2017

JANVIER
D 1 Jour de l'An
L 2 Basile
M 3 Geneviève
M 4 Odilon
J 5 Edouard
V 6 Mélaine
S 7 Raymond
D 8 Lucien
L 9 Alix
M 10 Guillaume
M 11 Pauline
J 12 Tatiana
V 13 Yvette
S 14 Nina
D 15 Remi
L 16 Marcel
M 17 Roseline
M 18 Prisca
J 19 Marius
V 20 Sébastien
S 21 Agnès
D 22 Vincent
L 23 Barnard
M 24 Fr. de Sales
M 25 Conv.de Paul
J 26 Paule
V 27 Angèle
S 28 Th. d'Aquin
D 29 Gildas
L 30 Martine
M 31 Marcelle

FÉVRIER
J 2 Présentation
V 3 Blaise
S 4 Véronique
D 5 Agathe
L 6 Gaston
M 7 Eugénie
M 8 Jacqueline
J 9 Apolline
V 10 Arnaud
S 11 ND de Lourdes
D 12 Félix
L 13 Béatrice
M 14 Valentin
M 15 Claude
J 16 Julienne
V 17 Alexis
S 18 Bernadette
D 19 Gabin
L 20 Aimée
M 21 Damien
M 22 Isabelle
J 23 Lazare
V 24 Modeste
S 25 Roméo
D 26 Nestor
L 27 Honorine
M 28 Romain

MARS
J 2 Ch.le Bon
V 3 Guénolé
S 4 Casimir
D 5 Olive
L 6 Colette
M 7 Félicité
M 8 Jean de Dieu
J 9 Françoise
V 10 Vivien
S 11 Rosine
D 12 Justine
L 13 Rodrigue
M 14 Mathilde
M 15 Louise
J 16 Bénédicte
V 17 Patrice
S 18 Cyrille
D 19 Joseph
L 20 PRINTEMPS
M 21 Clémence
M 22 Léa
J 23 Victorien
V 24 Cath. de Suède
S 25 Annonciation
D 26 Larissa +1h
L 27 Habib
M 28 Gontran
M 29 Gwladys
J 30 Amédée
V 31 Benjamin

AVRIL
S 1 Hugues
D 2 Sandrine
L 3 Richard
M 4 Isidore
M 5 Irène
J 6 Marcellin
V 7 J-B. de la Salle
S 8 Julie
D 9 Gautier
L 10 Fulbert
M 11 Stanislas
M 12 Jules
J 13 Ida
V 14 Maxime
S 15 Paterne
D 16 Pâques
L 17 L.de Pâques
M 18 Parfait
M 19 Emma
J 20 Odette
V 21 Anselme
S 22 Alexandre
D 23 Georges
L 24 Fidèle
M 25 Marc
M 26 Alida
J 27 Zita
V 28 Valérie
S 29 Cath. de Sienne
D 30 Robert

MAI
L 1 Fête du travail
M 2 Boris
M 3 Phil.,Jacq.
J 4 Sylvain
V 5 Judith
S 6 Prudence
D 7 Gisèle
L 8 Victoire 1945
M 9 Pacôme
M 10 Solange
J 11 Estelle
V 12 Achille
S 13 Rolande
D 14 Matthias
L 15 Denise
M 16 Honoré
M 17 Pascal
J 18 Eric
V 19 Yves
S 20 Bernardin
D 21 Constantin
L 22 Emile
M 23 Didier
M 24 Donatien
J 25 Ascension
V 26 Bérenger
S 27 Augustin
D 28 Fête des Mères
L 29 Aymar
M 30 Ferdinand
M 31 Visitation

JUIN
J 1 Justin
V 2 Blandine
S 3 Kévin
D 4 Pentecôte
L 5 L. Pentecôte
M 6 Norbert
M 7 Gilbert
J 8 Médard
V 9 Diane
S 10 Landry
D 11 Barnabé
L 12 Guy
M 13 Antoine de P.
M 14 Elisée
J 15 Germaine
V 16 J. F. Régis
S 17 Hervé
D 18 Fête des Pères
L 19 Romuald
M 20 Silvère
M 21 ETE
J 22 Alban
V 23 Audrey
S 24 Jean-Baptiste
D 25 Prosper
L 26 Anthelme
M 27 Fernand
M 28 Irénée
J 29 Pierre-Paul
V 30 Martial

JUILLET
S 1 Thierry
D 2 Martinien
L 3 Thomas
M 4 Florent
M 5 Antoine
J 6 Mariette
V 7 Raoul
S 8 Thibault
D 9 Amandine
L 10 Ulrich
M 11 Benoît
M 12 Olivier
J 13 Henri et Joël
V 14 Fête Nationale
S 15 Donald
D 16 ND Mt Carmel
L 17 Charlotte
M 18 Frédéric
M 19 Arsène
J 20 Marina
V 21 Victor
S 22 Marie Madeleine
D 23 Brigitte
L 24 Christine
M 25 Jacques
M 26 Anne,Joachim
J 27 Nathalie
V 28 Samson
S 29 Marthe
D 30 Juliette
L 31 Ignace de L.

AOÛT
M 1 Alphonse
M 2 Julien Eymard
J 3 Lydie
V 4 Jean-M. Vianney
S 5 Abel
D 6 Transfiguration
L 7 Gaétan
M 8 Dominique
M 9 Amour
J 10 Laurent
V 11 Claire
S 12 Clarisse
D 13 Hippolyte
L 14 Evrard
M 15 Assomption
M 16 Armel
J 17 Hyacinthe
V 18 Hélène
S 19 Jean Eudes
D 20 Bernard
L 21 Christophe
M 22 Fabrice
M 23 Rose de Lima
J 24 Barthélémy
V 25 Louis
S 26 Natacha
D 27 Monique
L 28 Augustin
M 29 Sabine
M 30 Fiacre
J 31 Aristide

SEPTEMBRE
V 1 Gilles
S 2 Ingrid
D 3 Grégoire
L 4 Rosalie
M 5 Raïssa
M 6 Bertrand
J 7 Reine
V 8 Nativité
S 9 Alain
D 10 Inès
L 11 Adelphe
M 12 Apollinaire
M 13 Aimé
J 14 Croix Glorieuse
V 15 Roland
S 16 Edith
D 17 Renaud
L 18 Nadège
M 19 Emilie
M 20 Davy
J 21 Matthieu
V 22 AUTOMNE
S 23 Constant
D 24 Thècle
L 25 Hermann
M 26 Côme et Damien
M 27 Vinc. de Paul
J 28 Venceslas
V 29 Michel
S 30 Jérôme

OCTOBRE
D 1 Thér. de l'E. Jésus
L 2 Léger
M 3 Hubert
M 4 Fr. d'Assise
J 5 Fleur
V 6 Bruno
S 7 Serge
D 8 Pélagie
L 9 Denis
M 10 Ghislain
M 11 Firmin
J 12 Wilfried
V 13 Géraud
S 14 Juste
D 15 Thérèse d'Avila
L 16 Edwige
M 17 Baudoin
M 18 Luc
J 19 René
V 20 Adeline
S 21 Céline
D 22 Elodie
L 23 Jean de Capistran
M 24 Florentin
M 25 Crépin
J 26 Dimitri
V 27 Emeline
S 28 Jude
D 29 Narcisse -1h
L 30 Bienvenue
M 31 Quentin

NOVEMBRE
M 1 Toussaint
J 2 Défunts
V 3 Hubert
S 4 Charles
D 5 Sylvie
L 6 Bertille
M 7 Carine
M 8 Geoffroy
J 9 Théodore
V 10 Léon
S 11 Armistice 1918
D 12 Christian
L 13 Brice
M 14 Sidoine
M 15 Albert
J 16 Marguerite
V 17 Elisabeth
S 18 Aude
D 19 Tanguy
L 20 Edmond
M 21 Prés. de Marie
M 22 Cécile
J 23 Clément
V 24 Flora
S 25 Catherine
D 26 Delphine
L 27 Sévrin
M 28 Jacq. de la M.
M 29 Saturnin
J 30 André

DÉCEMBRE
V 1 Florence
S 2 Viviane
D 3 François Xavier
L 4 Barbara
M 5 Gérald
M 6 Nicolas
J 7 Ambroise
V 8 Imm. Conception
S 9 Pierre Fourier
D 10 Romaric
L 11 Daniel
M 12 Jeanne F.C.
M 13 Lucie
J 14 Odile
V 15 Ninon
S 16 Alice
D 17 Gaël
L 18 Gatien
M 19 Urbain
M 20 Théophile
J 21 HIVER
V 22 Françoise Xavière
S 23 Armand
D 24 Adèle
L 25 Noël
M 26 Etienne
M 27 Jean
J 28 Innocents
V 29 David
S 30 Roger
D 31 Sylvestre

1 Je découpe les mots en syllabes et je code.

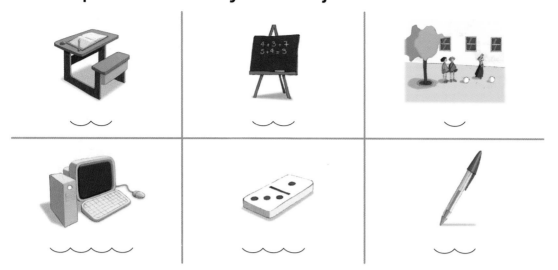

Je connais l'alphabet.

A B C D E F G H I J K L M N

O P Q R S T U V W X Y Z

a b c d e f g h i j k l m n

o p q r s t u v w x y z

a b c d e f g h i j k l m n

o p q r s t u v w x y z

1

À l'école

À l'école, il y a...

des filles

des garçons

Marie

Rami

Ramira

Rémi

Ramira est une fille de l'école.

Rémi est un garçon de l'école.

1 🔘 J'écoute la comptine.

2 La syllabe [ʀa].

3 La syllabe [ʀi].

Je reconnais des mots. J'observe les lettres qui les composent.

des : d/e/s | un : u/n | une : u/n/e | école : é/c/o/l/e

d e s | u n | u n e | é c o l e

Aide-Mémoire

l'école / est / de / Marie / il y a / Rémi /
Rami / Ramira

Je lis ce texte.

À l'école

- À l'école, Mira est dans la classe de Marie.

  Il y a aussi Rémi. Mira rit.

- À l'école, Roméo est dans la classe de Rami.

  Il y a aussi Ramira. Roméo rit.

Je recherche.

Trouve Mira et Roméo sur les images.

1 La syllabe [ʀa].

2 Les sons dans la syllabe.

3  J'écoute les comptines.

4 La place du [ʀ].

5 La place du [a].

Je vois.

R r
ℛ r

Rami**r**a

Je vois.

A a
𝒜 a

M**a**rie

Je déchiffre.

1 Une syllabe.

| r | a | → | ra |

2 Un mot.

ra**t**

1 Je relis les nouveaux mots.

de	une fille	il rit
dans	un garçon	
aussi	à l'école	
	la classe	

2 Je lis de nouvelles phrases.

1. Mira est à l'école.
2. Rémi aussi est à l'école.
3. Dans la classe, il y a des filles.
4. Roméo est un garçon de l'école.

▶ Trouve les phrases qui vont avec l'image.

J'observe la langue.

Un garçon rit.
Une fille rit.

1 La syllabe [ʀi].

2 Les sons dans la syllabe.

3 J'écoute la comptine.

4 La place du [i].

Je vois.

I i
ʃ i

Ram**i**

Je déchiffre.

1 Des syllabes.

| r | i | ➜ | ri |

| r | a | ➜ | ra |

2 Des mots.

ri**z** / ri**t** / rira

1

Aide-Mémoire

l'école / Marie / Ramira / est / **dans** / la / classe /
de / Rémi / Rami / **Roméo** / Mira

Je lis ce texte.

À l'école

- À l'école, Marie rit avec Ramira et Mira.

  À l'école, il y a aussi Amar. Amar lit.

- À l'école, Rami est ami avec Roméo, Rémi et Rima. Rima rit.

  À l'école, il y a aussi Zoé. Zoé n'a pas d'ami.

Je recherche.

Trouve Amar, Zoé et Rima sur l'image.

1 La syllabe [ma].

3 🔊 J'écoute la comptine.

4 La place du [m].

2 Les sons dans la syllabe.

Je vois.

M   m
𝓜   𝓶   A**m**ar

Je déchiffre.

1 Des syllabes.

m a → ma   m i → mi | mar

2 Des mots.

ma	ami	Amar
mari	mamie	mare
Marie	mimi	
Rima	Ramira	
	Mira	

1 Je relis les nouveaux mots.

avec	un ami	il lit
et		
n'a pas		

2 Je lis de nouvelles phrases.

1. Zoé est à l'école.
2. Mira lit avec Roméo et Rami.
3. Amar n'a pas d'ami dans la classe.

▶ **Trouve la phrase qui va avec l'image.**

3 Je lis un nouveau texte.

Dans la classe, il y a des garçons. Il y a des filles aussi.
Dans la classe, il y a Roméo, l'ami de Zoé. Rémi lit avec Marie.
Roméo rit avec Amar et Rima.

J'observe la langue.

Ⓐ Une fille rit.
Ramira rit.
Zoé rit.

Ⓑ Un garçon rit.
Rémi rit.
Rami rit.

1 La syllabe [RO].

3  J'écoute la comptine.

4 La place du [o] ou [ɔ].

2 Les sons dans la syllabe.

Je vois.

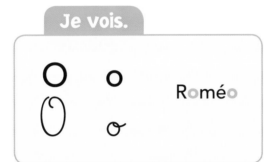

Roméo

Je déchiffre.

1 Des syllabes.

| r | o | → | ro | | o | r | → | or | | mor |

| m | o | → | mo |

2 Des mots.

rot | mot | or | mort
| momie |

Je connais les sons et les lettres qui font les sons.

[a] ⟶ **a** → classe

[ʀ] ⟶ **r** → garçon

[i] ⟶ **i** → il

[m] ⟶ **m** → ami

[o] ou [ɔ] → **o** → école

Je sais déchiffrer des syllabes.

r	a	➜	ra

m	a	➜	ma

r	i	➜	ri

m	i	➜	mi

r	o	➜	ro

m	o	➜	mo

o	r	➜	or

a	r	➜	ar

Je complète ma collection de [o].

J'entends [o] ⟶ Je vois **au** : **au**ssi

Je reconnais des phrases.

Un garçon rit.   Une fille rit.

Roméo rit.   Mira rit.

TROP

CECI
CELA

CAROLINE PALAYER

éditions frimousse

Aide-Mémoire

l'école / Rémi / est / Zoé / aussi

Je lis ce texte.

D'après *Trop ceci cela* (1)

- À l'école, on dit :

  Rémi est trop petit.

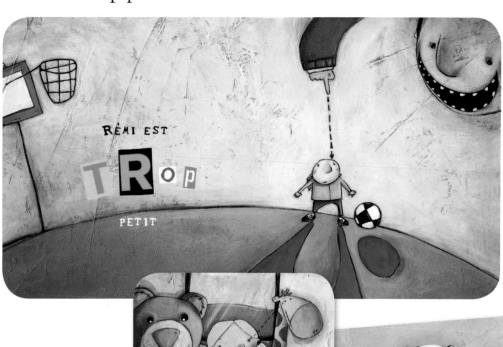

- À l'école,

  on dit aussi :

  Zoé est trop bébé.

  David est trop …

Je recherche.

À ton avis, comment est David ?

1 La syllabe [ʀe].

2 Les sons dans la syllabe.

3  J'écoute la comptine.

4 La place du [e].

Je vois.

é

é

Rémi

Je déchiffre.

1 Des syllabes.

| r | é | → | ré |

| m | é | → | mé |

2 Des mots.

ré	mémé
Rémi	ramé
marée	armée

1 Je relis les nouveaux mots.

trop	David	petit	on dit
	bébé		

2 Je lis de nouvelles phrases.

1. David est un bébé.
2. Dans la classe, on lit et on rit.

3 Je lis un nouveau texte.

Rami dit à Rémi : « Amar est trop petit.

Roméo aussi est petit. »

Rémi dit : « Le bébé de Marie est trop mimi. »

▶ **Que dit Rami à Rémi ?
Qu'en penses-tu ?**

J'observe la langue.

Ⓐ Un garçon rit.
Un garçon lit.
Roméo lit.
Rami lit.

Ⓑ Une fille rit.
Une fille lit.
Ramira lit.
Zoé lit.

1 La syllabe [ta].

3 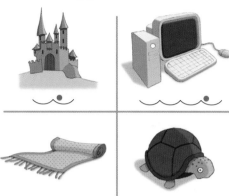 J'écoute la comptine.

4 La place du [t].

2 Les sons dans la syllabe.

Je vois.

T   t
ᴄ   𝓉   une moto

▶ **J'entends [t].**
   👂 **t**or**t**ue

▶ **Je n'entends pas [t].**
   ❌ di**t**

Je déchiffre.

1 Des syllabes.

| t | a | → | ta |
| t | o | → | to |

| t | i | → | ti |
| t | é | → | té |

tir
tri / tro

2 Des mots.

tata	Toto	Titi	raté	tir
tatie	tomate	tiré	été	partir
tatami	moto			tri
tapis				trop

27

Aide-Mémoire

l'école / on / dit / David / est / trop / il

Je lis ce texte.

D'après *Trop ceci cela* (2)

- À l'école on dit :
  David est trop rapide.
  Astrid est trop timide.

- Oscar est trop bavard, il dit :
  « Patati, patata, patati, patata... »

Je recherche.

Et toi, comment es-tu ?

1 La syllabe [pi].

2 Les sons dans la syllabe.

3 J'écoute la comptine.

4 La place du [p].

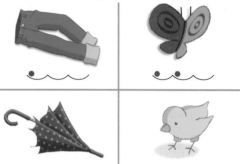

Je vois.

P   p
℘   ↑

papa

▶ **J'entends [p].**
   petit

▶ **Je n'entends pas [p].**
   tro**p**

Je déchiffre.

1 Des syllabes.

| p | i | → | pi |

| p | o | → | po |

por / pri

| p | a | → | pa |

| p | é | → | pé |

2 Des mots.

tapis	pas	pot	pépé	port
pirate	papa		épée	prix
papi	Paris		pétard	

29

1 Je relis les nouveaux mots.

rapide	Astrid
timide	Oscar
bavard	

2 Je lis de nouvelles phrases.

1. Oscar est trop bavard, Zoé aussi.

2. Astrid dit : « Patati, patata, patati, patata… »

3. David est un petit garçon de l'école.

3 Je lis un nouveau texte.

À l'école, on dit : « Ramira est timide. Roméo est bavard. »
Dans ma classe, on dit aussi : « Rami est trop bavard.
Mira est rapide. »

▶ Qui est le plus bavard ?

J'observe la langue.

Ⓐ Une fille rit.

Une fille **de ta classe** rit.

Ⓑ Un garçon lit.

Un garçon **de ma classe** lit.

1 La syllabe [di].

3 J'écoute la comptine.

4 La place du [d].

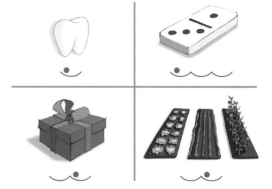

2 Les sons dans la syllabe.

Je vois.

D   d

𝒟   d

Davi**d**

Je déchiffre.

1 Des syllabes.

d	o	→	**do**

d	i	→	**di**

dor

d	a	→	**da**

d	é	→	**dé**

dra

2 Des mots.

dodo	dame	midi	dé	dormir
doré	madame	mardi	dérapé	dra**p**
do**s**	date	dire	démarré	

Aide-Mémoire

à / l'école / il y a / des / filles / et / garçons / **Oscar** / est / **bavard** / **Astrid** / dans / le / il / lit / **petit**

Je lis ce texte.

À l'école et dans le monde

À l'école, il y a des filles et des garçons.

Oscar est bavard. Astrid est timide.

Astrid est-elle l'amie d'Oscar ?

Dans le monde, il y a des filles et des garçons.

Amar est à Paris.

Il lit l'histoire de Léon.

Lily est en Amérique. Elle ira à Paris avec sa classe.

Débat

À ton avis, un timide est-il l'ami d'un bavard ?

1 La syllabe [tɔ̃].

3  J'écoute la comptine.

4 La place du [ɔ̃].

2 Les sons dans la syllabe.

Je vois.

on *on*

le m**on**de

Je déchiffre.

1 Des syllabes.

| t | on | → | ton | | p | on | → | pon | | tron |
| m | on | → | mon | | r | on | → | ron | | |

2 Des mots.

ton	mon	pon**t**	ron**d**	tron**c**
tonton	monde	ponton	ronde	
	monte	répon**d**		
	démonté			

Je dois savoir écrire.

un / une / la / il / il y a / de / des / dans

Je connais les sons et les lettres qui font les sons.

[e] ⟶ **é** ⟶ Rom**é**o   [d] ⟶ **d** ⟶ rapi**d**e

[t] ⟶ **t** ⟶ **t**imide   [ɔ̃] ⟶ **on** ⟶ **on**

[p] ⟶ **p** ⟶ **p**eti**t**

Je sais déchiffrer des syllabes.

t	é	→	té
d	é	→	dé
p	é	→	pé

t	on	→	ton
d	on	→	don
p	on	→	pon

p	a	r	→	par
t	o	r	→	tor
p	r	é	→	pré

Je complète mes collections.

J'entends [e] ⟶ Je vois **et** : une fille **et** un garçon

J'entends [e] ⟶ Je vois **es** : d**es**

J'entends [i] ⟶ Je vois **y** : Lil**y**

Je commence à modifier des phrases.

Un garçon rit.   Une fille rit.
Un garçon **lit**.   Une fille **lit**.
Un garçon **de ta classe** lit. Une fille **de ma classe** lit.
Rémi lit.   **Ramira** lit.
Rami lit.   **Mira** lit.

Magdalena
Zaü

les albums
du Père Castor

Aide-Mémoire

Il y a / un / dans / aussi / petit / garçon / **Léon** /
il / avec / et / le

Je lis ce texte.

D'après *Léon et son croco* (1)

- À Grand Poco, il y a un crocodile qui vit dans l'eau.
  À Grand Poco, il y a aussi un petit garçon qui s'appelle
  Léon. Il a un bâton.

- À Grand Poco, il y a Léon avec son bâton sur le ponton
  et le crocodile dans l'eau.
  À Grand Poco, il y a Léon avec son bâton qui tombe
  à l'eau.

Débat

À ton avis, que pense Léon quand il tombe à l'eau ?

1 La syllabe [lɔ̃].

2 Les sons dans la syllabe.

3  J'écoute la comptine.

4 La place du [l].

Je vois.

L l
𝓛 𝓁

Léon

▶ J'entends [l].
il / la / lundi

▶ Je n'entends pas [l].
fille

Je déchiffre.

1 Des syllabes.

l	a	→	la
l	i	→	li
l	o	→	lo

l	on	→	lon
i	l	→	il
l	é	→	lé

lir
lor
mal

2 Des mots.

la	lit	il	loto	Léon	lire
lame	lilas	ils	mélimélo	allée	alors
lama	Ali	ile	allo	léopard	mal

1 Je relis les nouveaux mots.

sur	le crocodile	grand	elle vit
qui	un bâton		il s'appelle
son	l'eau		il tombe

2 Je lis de nouvelles phrases.

1. Il y a un crocodile dans l'eau et Léon sur le ponton.
2. Le petit garçon sur le ponton s'appelle Léon.

3 Je lis un nouveau texte.

David raconte à son ami Rémi : « À Grand Poco,

Léon est sur le ponton. Il y a un crocodile dans l'eau.

Léon tombe dans l'eau... »

« Oh la la ! » dit Rémi.

David répond : « Il a son bâton ! »

▶ Qui sont les personnages de l'image ?

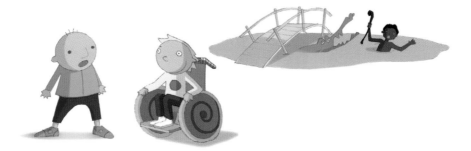

J'observe la langue.

Ⓐ Marie est une fille.

Marie est une fille **timide**.

Marie est une fille **rapide**.

Ⓑ Amar est un garçon.

Amar est un garçon **timide**.

Amar est un garçon **rapide**.

1 La syllabe [ka].

2 Les sons dans la syllabe.

3 🔘 J'écoute la comptine.

4 La place du [k].

Je vois.

C   c
C   c   un **c**ro**c**odile

Je vois.

Qu   Qu
Qu qu   **qu**i

Je déchiffre.

1 Des syllabes.

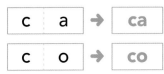

| c | a | → | ca |

| c | a | r | → | car |

| c | o | → | co |

| qu | i | → | qui |

roc
lac

2 Des mots.

caméra	car	coton	qui	roc
caméléon	carte	côté	riquiqui	Maroc
cacao	carton	copie		lac
carré		colis		

Aide-Mémoire

grand / il y a / un / avec / **bâton** / petit / est / de / en

Je lis ce texte.

D'après Léon et son croco (2)

- À Grand Poco, il y a Léon qui combat un grand crocodile.
  À Grand Poco, il y a un grand crocodile avec un bâton
  entre les dents.

- Depuis, à Grand Poco, le petit Léon est devenu
  un grand charmeur de crocodile. Pour la fête
  du crocodile, il danse déguisé en… croco.

Débat

Qu'a fait Léon pour devenir un grand charmeur de crocodile ?
Que penses-tu de Léon ?

1 La syllabe [ty].

3 J'écoute la comptine.

4 La place du [y].

2 Les sons dans la syllabe.

Je vois.

U u

𝒰 𝓊

une tortue

▶ J'entends [y].

m**u**r / p**u**ll

▶ Je n'entends pas [y].

q**u**i / ea**u**

Je déchiffre.

1 Des syllabes.

| t | u | → | tu |

| d | u | → | du |

| m | u | → | mu |

| l | u | → | lu |

| d | u | r | → | dur |

| m | u | r | → | mur |

plu
tur
tru

2 Des mots.

tu	du	ému	lune	plume
tortue	dodu	mur	élu	turc
tutu	durée	armure	Lucas	Turquie
tulipe	dur		lutte	truc

1 **Je relis les nouveaux mots.**

en	les dents	déguisé	il danse
entre	le combat		il est devenu
depuis	le charmeur		
pour	la fête		

2 **Je lis de nouvelles phrases.**

1. À Grand Poco, il y a un grand charmeur de crocodile.
2. Léon est déguisé en crocodile.
3. Léon combat un grand crocodile avec un bâton.

3 **Je lis un nouveau texte.**

C'est la fête à l'école. Il y a des garçons et une fille :
Léon, David, Rémi et Zoé. Zoé danse avec Oscar. David est
déguisé en bébé. Léon est déguisé en crocodile. Et Rémi ?

▶ **En quoi Rémi est-il déguisé ?**

J'observe la langue.

Dans l'eau, il y a un crocodile.

Dans l'eau, il y a un crocodile timide.

Dans l'eau, il y a un crocodile timide et rapide.

1 La syllabe [bo].

3 J'écoute la comptine.

4 La place du [b].

2 Les sons dans la syllabe.

Je vois.

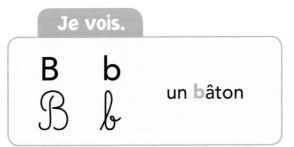

un **b**âton

Je déchiffre.

1 Des syllabes.

b	a	→	ba
b	o	→	bo
b	u	→	bu

b	a	r	→	bar
b	o	l	→	bol
b	on	→	bon

bri
bra
blon

2 Des mots.

ballon	botte	bué**e**	bon	abrico**t**
bar	robo**t**	tribu	bonbon	bra**s**
barque	bolide	bulle	bondir	blon**d**
barbe	bol			blonde

Le Crocodile

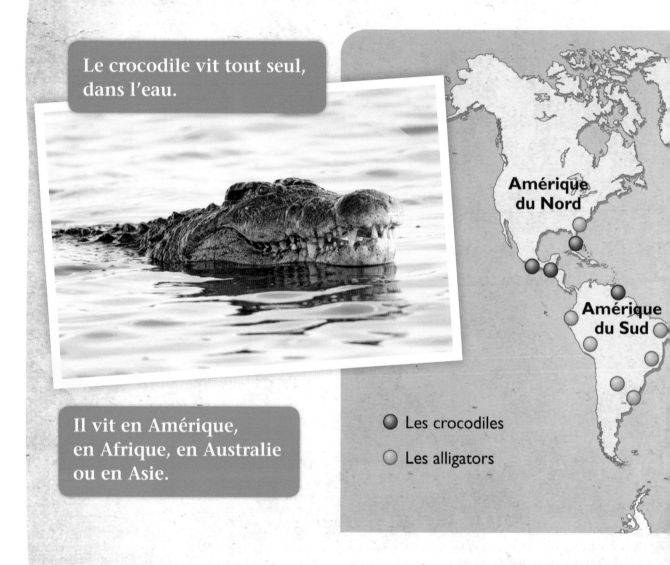

Le crocodile vit tout seul, dans l'eau.

Il vit en Amérique, en Afrique, en Australie ou en Asie.

Amérique du Nord

Amérique du Sud

Les crocodiles

Les alligators

Il est grand. Il mesure plus de quatre mètres. Il est long comme une voiture.

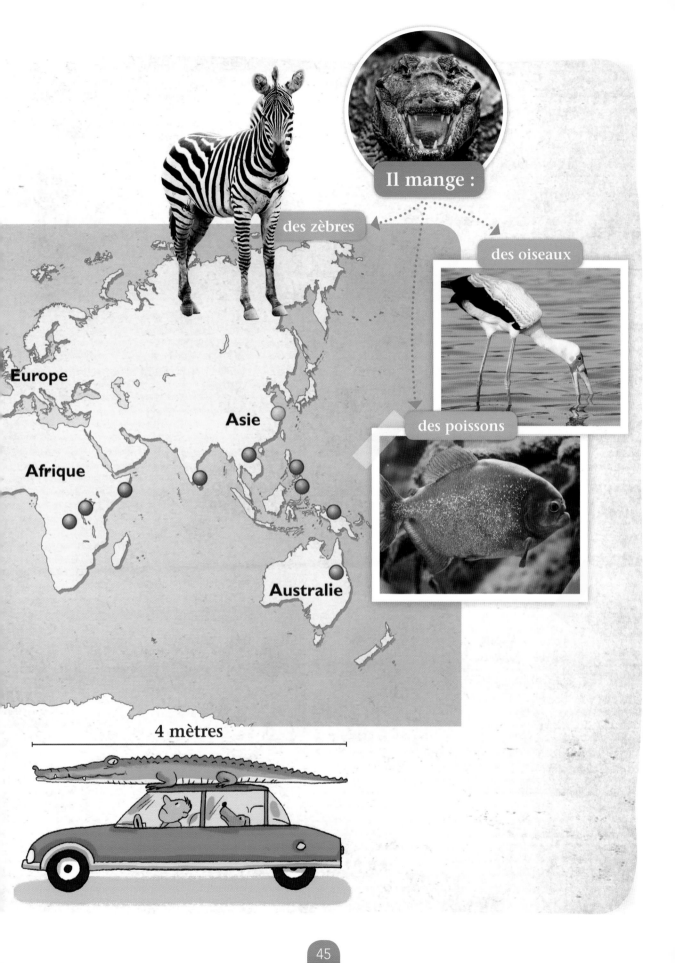

Il mange :

des zèbres

des oiseaux

des poissons

Europe

Asie

Afrique

Australie

4 mètres

Crocodile ou pas ?

un crocodile un alligator

L'alligator est-il comme le crocodile ?

L'alligator ne montre pas les deux dents du bas.

Le crocodile montre les deux dents du bas.

❶

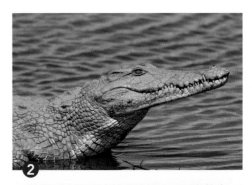
❷

❸

❹

Je recherche.

Trouve les crocodiles et les alligators.

1 La syllabe [va].

3 J'écoute la comptine.

4 La place du [v].

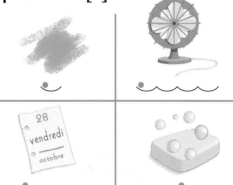

2 Les sons dans la syllabe.

Je vois.

V   v
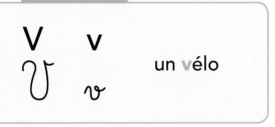

un vélo

Je déchiffre.

1 Des syllabes.

v	a	→	va

v	i	→	vi

v	o	→	vo

v	é	→	vé

vol
vre

2 Des mots.

va	vos	vie	vélo	vol
vallée	votre	vite	lavé	livre
lavabo	vomir	vide	arrivée	vivre
		ravi	vérité	
		avis		

3 Ce que j'ai appris.

Je dois savoir écrire.

la / le / lundi / qui / que / avec / tu / du / plus

Je connais les sons et les lettres qui font les sons.

[l] ⟶ l ⟶ li**t**　　　　　[y] ⟶ u ⟶ p**u**ll

[k] → c ⟶ **é**cole　　　　[b] ⟶ b ⟶ **b**on**b**on

[k] → qu ⟶ **qu**i　　　　 [v] ⟶ v ⟶ **v**a

Je commence à déchiffrer des syllabes complexes.

b	a	r	→	bar
b	r	a	→	bra
b	a	c	→	bac

v	o	l	→	vol
b	o	l	→	bol
c	o	l	→	col

Je complète mes collections.

J'entends [o] ⟶ Je vois **eau** : l'**eau**

J'entends [ɔ̃] ⟶ Je vois **om** : un c**om**bat / il t**om**be

Je commence à compléter et à modifier des phrases.

À l'école, Lucas écrit une histoire.

À l'école, Lucas écrit une histoire **courte**.

À l'école, Lucas écrit une histoire courte **et drôle**.

À l'école, **Marie** écrit une histoire courte et drôle.

Période 2

4

LE PETIT ROI

Anne-Claire Lévêque
Isabelle Simon

Éditions du Rouergue

4

Aide-Mémoire

une / un / petit / et / **tout** / seul

Je lis ce texte.

D'après *Le Petit Roi* (1)

- Il était une fois
  un petit roi
  qui s'appelait MOI
  et qui s'embêtait.

- Il s'embêtait
  car il était tout seul,
  au milieu d'autres petits rois
  qui s'appelaient tous MOI.

Débat

Qui sont les personnages ? Que font-ils ?
À ton avis, pourquoi l'auteur parle-t-il de rois ?

1 La syllabe [pwa].

2 Les sons dans la syllabe.

3  J'écoute la comptine.

4 La place du [wa].

Je vois.

oi

oi

un r**oi**

Je déchiffre.

1 Des syllabes.

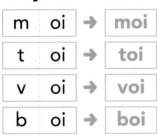

m	oi	→	**moi**
t	oi	→	**toi**
v	oi	→	**voi**
b	oi	→	**boi**

v	oi	r	→	**voir**
b	oi	r	→	**boir**

roir
moir
troi

2 Des mots.

moi	toi	voi**x**	boi**s**	tiroir
moi**s**	toi**t**	voilà	boite	miroir
	toiture	voiture	boire	armoire
	toile	avoir		troi**s**

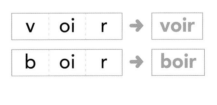

1 **Je relis les nouveaux mots.**

tous	un roi	il s'appelait
au milieu	une fois	il s'embêtait
moi		il était

2 **Je lis de nouvelles phrases.**

1. Il était une fois un petit roi avec son ami.

2. Le petit roi s'embêtait car il était tout seul.

3 **Je lis un nouveau texte.**

Il était une fois un garçon qui s'appelait Léo.

Un samedi, Lila, son amie, est tombée dans l'eau à côté

d'un crocodile. Léo a tiré Lila sur le ponton.

Depuis, il est devenu le roi… de Lila !

▶ **Retrouve la phrase du texte
qui correspond à l'image.**

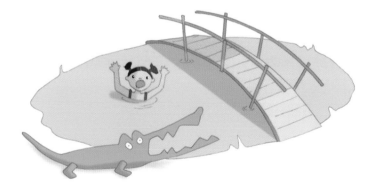

Ⓐ Léon tombe dans l'eau.
Il tombe dans l'eau.

Ⓑ Lila tombe dans l'eau.
Elle tombe dans l'eau.

1 La syllabe [fe].

3 🔊 J'écoute la comptine.

4 La place du [f].

2 Les sons dans la syllabe.

Je vois.

f   𝑓

une **f**ée

Je vois.

ph   𝑝ℎ

une **ph**rase

Je déchiffre.

1 Des syllabes.

f	i	→	fi

f	u	→	fu

f	oi	→	foi

ph	o	→	pho

f	i	l	→	fil

f	oi	r	→	foir

fur
for
phar

2 Des mots.

Fifi	fumé**e**	foi**s**	photo	coiffure
film	futur	parfoi**s**	photocopi**e**	forme
filmé	futé	foire	phoque	phare

53

4

LE PETIT ROI

Aide-Mémoire

était / une / un / petit / s'appelait / s'embêtait /
tout / seul / dans / **tous** / et

Je lis ce texte.

D'après *Le Petit Roi (2)*

- Il était une fois
un petit roi
qui s'appelait Moi.
Il s'embêtait
car il était tout seul,
perdu dans une foule
d'autres petits rois.

- Ils s'appelaient tous Moi.
Comme lui !
Et ce n'était pas drôle
car tous les petits rois
criaient…

MOI MOI MOI

Débat

Qu'est-ce qu'une foule ? Le petit roi était-il tout seul ?

1 La syllabe [sɔ̃].

3 ◉ 19 J'écoute la comptine.

4 La place du [s].

2 Les sons dans la syllabe.

Je vois.

S   s   .ss.   Ç   ç   ▶ J'entends [s].
ᵽ   ♭   .ʂʂ.   Ç   ç   🦻 **s**avon

une **s**ouris   une cla**ss**e   un gar**ç**on   ▶ Je n'entends pas [s].
                                    🚫 boi**s** / dan**s**

Je déchiffre.

1 Des syllabes.

| s | i | → | si |

| s | o | → | so |

| s | a | → | sa |

| s | o | r | → | sor |

| .ss | on | → | sson |

soir
as

2 Des mots.

si	solide	sa	sortie	poisson	passoire
sirop	Sofia	salade	sortir	boisson	bonsoir
Simon	Sophie	salami		moisson	aspire
siphon		samedi			asticot

1 Je relis les nouveaux mots.

| lui | une foule | perdu | ce n'était pas |
| ce | | | ils criaient |

2 Je lis de nouvelles phrases.

1. Un roi était perdu dans une foule de petites filles et de petits garçons.

2. Le roi s'embêtait comme les autres petits rois.

3. Ce petit roi s'embêtait avec les autres.

3 Je lis un nouveau texte.

Sofia est une fée qui a un petit bâton doré. Elle vit dans les bois. Parfois, elle sort et danse au milieu de la foule. Avec son bâton, elle montre les garçons et les filles et crie : « Taratata… toi tu tombes… toi aussi… et toi… » C'est une sotte, la fée Sofia !

▶ **Trouve l'image qui va avec le texte.**

J'observe la langue.

Ⓐ La fée sotte court dans les bois.
Elle court dans les bois.

Ⓑ Le petit roi court dans les bois.
Il court dans les bois.

1 La syllabe [bu].

3  J'écoute la comptine.

4 La place du [u].

2 Les sons dans la syllabe.

Je vois.

ou

un l**ou**p

ou

Je déchiffre.

1 Des syllabes.

p	ou	→	**pou**

c	ou	→	**cou**

f	ou	→	**fou**

s	ou	→	**sou**

c	ou	r	→	**cour**

f	ou	r	→	**four**

ours
crou
trou

2 Des mots.

pou**x**	courir	fou	soupe	ours
poupé**e**	découper	fourrure	souri**s**	écrou
pouvoir	cour	fourmi	sourire	trouver
	parcour**s**	four	dessou**s**	

Avec les garçons et les filles de ta classe, tu vas fabriquer une maquette de l'histoire des petits rois. Tu feras la classe et les petits rois.

▶ **Lis la liste des fournitures et apporte tout ce que tu trouveras chez toi.**

LISTE DES FOURNITURES POUR FABRIQUER UNE MAQUETTE

Pour les petits rois :
- de la pâte à modeler
- de la laine, du fil de coton ou un autre fil
- des petits boutons ou des petits pois
- des bouts de tissus

Pour la classe :
- des boites
- du carton
- de la colle

1 La syllabe [rə].

3  J'écoute la comptine.

4 La place du [ə].

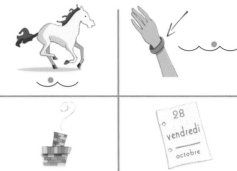

2 Les sons dans la syllabe.

Je vois.

E e

ℰ *e*

p**e**tit

▶ J'entends [ə].

🦻 le r**e**pa**s**

▶ Je n'entends pas [ə].

🚫 **e**au / fé**e**

Je déchiffre.

1 Des syllabes.

p	e	→	pe
d	e	→	de

r	e	→	re
s	e	→	se

bre
vre
dre

2 Des mots.

peti**t**	de	repa**s**	se	brebi**s**
petite	demi	relire	semoule	breton
pelote	debou**t**	revoir	secour**s**	livre
		repo**s**		répondre

Je dois savoir écrire.

trois / quoi / moi / par / sur / pour / on dit / tout / petit

Je connais les sons et les lettres qui font les sons.

[wa] ——→ **oi** ——→ v**oi**ture

[f] < **f** ——→ **f**ille

ph ——→ **ph**oto

[u] ——→ **ou** ——→ l**ou**p

[s] < **s** ——→ souri**s**

ss ——→ ti**ss**u

ç ——→ gar**ç**on

[ə] ——→ **e** ——→ sam**e**di

Je déchiffre des syllabes complexes.

| f | o | r | ➜ | for |
| f | ou | r | ➜ | four |

| t | r | e | ➜ | tre |
| b | r | e | ➜ | bre |

Je complète mes collections.

J'entends [s] ——→ Je vois **c** : **c**e

J'entends [e] ——→ Je vois **er** : pâte à model**er** / fabriqu**er**

J'entends [e] ——→ Je vois **ez** : ch**ez**

Je commence à remplacer les mots des phrases.

Tamara court dans le bois.

Une petite louve rapide court dans le bois.

Elle court dans le bois.

Oscar court dans le bois.

Un petit loup rapide court dans le bois.

Il court dans le bois.

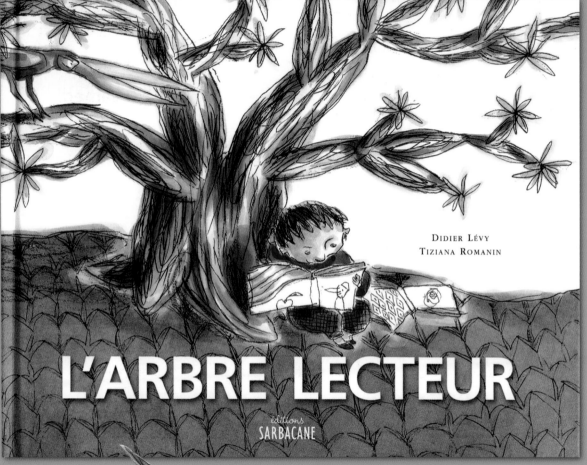

Didier Lévy
Tiziana Romanin

L'ARBRE LECTEUR

éditions
SARBACANE

Aide-Mémoire

dans / ne / était / elles

Je lis ce texte.

D'après *L'Arbre lecteur* (1)

- Dans le jardin poussait un arbre. Personne ne savait ce que c'était comme arbre. Il avait des bosses sur son tronc.

  C'était facile de l'escalader pour aller lire dans ses branches.

- C'était vraiment un drôle d'arbre.

  Quand je lisais, toutes ses feuilles se rassemblaient autour de moi. On aurait dit qu'elles lisaient aussi.

Je recherche.

Décris l'arbre de cette histoire.

Débat

« C'était vraiment un drôle d'arbre. » : Pourquoi ?

1 La syllabe [lɛ].

2 Les sons dans la syllabe.

3 🎧 ㉒ J'écoute la comptine.

4 La place du [ɛ].

Je vois.

è	ê	e..	ai	▶ J'entends [ɛ].
è	*ê*	*e..*	*ai*	👂 b**e**lle
un z**è**bre	une t**ê**te	**e**lle	un bal**ai**	▶ Je n'entends pas [ɛ]. ❌ p_etit

Je déchiffre.

1 Des syllabes.

l	ai	→	lai
m	ai	→	mai
b	e..	→	be..

r	ê	→	rê
t	r	è	→	trè

prè
frè
frai

2 Des mots.

lait	mai	belle	rêve	près
laiterie	mais	poubelle	rêverie	après
laitue	mairie	mirabelle	forêt	frère
palais			très	frais
balai			trèfle	elle effraie

1 **Je relis les nouveaux mots.**

vraiment	le jardin	je lisais
quand	ses branches	escalader
	ses feuilles	elles se rassemblaient
	personne	il savait
		il poussait
		elle aurait

2 **Je lis de nouvelles phrases.**

1. Un drôle d'arbre poussait dans le jardin.

2. On pouvait escalader le tronc de l'arbre pour lire.

3 **Je lis un nouveau texte.**

Il était une fois un crocodile qui habitait dans une mare. Elle était au milieu du jardin d'un roi. Comme la mare n'avait plus d'eau, l'animal quitta le jardin. Alors, le roi appela le plus fort de ses amis et dit : « De l'eau, il faut de l'eau ! » Avec sa trompe, l'ami du roi mit de l'eau dans la mare. Le crocodile remercia le roi et son ami. Il sauta dans l'eau.

▶ **Dessine le roi et son ami.**

Ⓐ Les rois crient dans la foule.
Ils crient dans la foule.

Ⓑ Les filles crient dans la cour.
Elles crient dans la cour.

1 La syllabe [ni].

3 J'écoute la comptine.

4 La place du [n].

2 Les sons dans la syllabe.

Je vois.

N   n

N   *n*   **n**oir

▶ **J'entends** [n].
une **n**uit

▶ **Je n'entends pas** [n].
u**n** / jardi**n**

Je déchiffre.

1 Des syllabes.

| n | i | → | ni |

| n | o | → | no |

nor

| n | a | → | na |

| n | ou | → | nou |

noir

2 Des mots.

nid	narine	nos	nous	nord
animé	navire	noter	nounours	énorme
Ninon	ananas	domino	nourrir	manoir
Nicolas	canapé	piano	nourriture	patinoire

Aide-Mémoire

branches / je / en

Je lis ce texte.

D'après *L'Arbre lecteur* (2)

- Une nuit d'été, un orage a éclaté et la foudre est tombée sur l'arbre. Il est resté planté tout droit, mais ses branches étaient toutes noires. Maman a juste dit : « J'ai peur que l'arbre soit mort. »

- Je me suis mis à pleurer. Maman m'a parlé tout bas pour me dire ce qu'elle voulait faire. J'ai dit oui en remuant la tête.

Débat

Le petit garçon pleure. Pourquoi ? Qu'en penses-tu ?

1 La syllabe [pã].

3 J'écoute la comptine.

4 La place du [ã].

2 Les sons dans la syllabe.

Je vois.

an	en	em	▶ J'entends [ã].
an	*en*	*em*	👂 d**an**s / vraim**en**t
mam**an**	une d**en**t	ens**em**ble	▶ Je n'entends pas [ã].
			elles étai**en**t

Je déchiffre.

1 Des syllabes.

| m | an | → | **man** |
| p | an | → | **pan** |

| v | en | → | **ven** |
| s | em | → | **sem** |

phan
blan
trem
trans

2 Des mots.

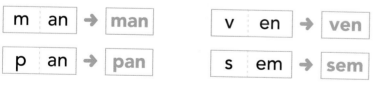

mandarine	panda	ven**t**	sembler	éléphan**t**
manquer	pantalon	vendredi	ressembler	blan**c**
manteau	pantoufle	aventure	rassembler	trembler
amande	pancarte			transpor**t**

1 **Je relis les nouveaux mots.**

juste	une nuit	j'ai peur
oui	un orage	je suis
		pleurer

2 **Je lis de nouvelles phrases.**

1. Je me suis mis à pleurer car mon arbre était mort.

2. La foudre est tombée sur l'arbre.

3. Ses branches étaient toutes noires.

3 **Je lis un nouveau texte.**

Un soir, un orage éclate dans la forêt. Toutes les bêtes quittent le bois en courant. Un enfant, assis dans son jardin, entend le bruit des bêtes affolées. Il a peur.
Il se met à pleurer et crie : « Maman, j'ai peur ! »
Sa mère sort dans le jardin. Elle console son enfant.

▶ **Retrouve la phrase qui correspond à l'image.**

J'observe la langue.

Ⓐ Les belles feuilles de l'arbre volent autour de moi.
Elles volent autour de moi.

Ⓑ Les grands arbres de mon jardin ont poussé très lentement.
Ils ont poussé très lentement.

1 La syllabe [ʒy].

2 Les sons dans la syllabe.

3 🔊 J'écoute la comptine.

4 La place du [ʒ].

Je vois.

J   j

 un **j**ardin

G   g

un ora**g**e

▶ J'entends [ʒ].
👂 **j**ournal / rou**g**e

▶ Je n'entends pas [ʒ].
❌ **g**arçon / lon**g**

Je déchiffre.

1 Des syllabes.

| g | e | → | ge |

| j | a | → | ja |

| g | i | → | gi |

| j | ou | r | → | jour |

geon
geoir

2 Des mots.

orange	jaloux	girafe	journée	pigeon
page	Japon	bougie	journal	plongeon
éponge	déjà	magie	bonjour	bougeoir
genou	soja	rigide	toujours	nageoire

5

Aide-Mémoire

branches / feuilles

D'après *L'Arbre lecteur* (3)

- Maman a coupé les branches de l'arbre. Avec la machine du voisin, nous avons fait de la poudre d'arbre. Puis nous avons ajouté de l'eau de la rivière. Nous avons laissé le mélange de poudre et d'eau au soleil.

- Après quelques jours, le mélange était sec. Alors nous avons fait de belles feuilles de papier. Sur ces feuilles, j'ai écrit et dessiné une histoire. Puis j'ai fabriqué un livre. C'est ce livre que vous avez lu tous ensemble.

Débat

À ton avis, pourquoi a-t-il voulu écrire ce livre ?
Et toi, quelle histoire aimerais-tu écrire ?

1 La syllabe [ʃɔ̃].

3 J'écoute la comptine.

4 La place du [ʃ].

2 Les sons dans la syllabe.

Je vois.

ch *ch*

du **ch**ocola**t**

Je déchiffre.

1 Des syllabes.

| ch | e | → | che |
| ch | a | → | cha |

| ch | on | → | chon |
| ch | an | → | chan |

char
choir

2 Des mots.

cheval	chat	cochon	chant	Charlotte
cheminée	chaton	bouchon	chanson	écharpe
ruche	chamois	cornichon	marchand	mouchoir
branche	achat	torchon	marchander	séchoir

1 **Je relis les nouveaux mots.**

le soleil / du papier / un voisin

2 **Je lis de nouvelles phrases.**

1. Avec de belles feuilles de papier, j'ai fabriqué un livre.

2. Tous ensemble, nous avons ajouté de l'eau à la poudre.

3 **Je lis un nouveau texte.**

Une petite fille rencontre son voisin. Elle dit :

« Bonjour Paul, as-tu toujours la machine

qui coupe les branches ?

– Oui Julie, pourquoi ? répond Paul.

– Maman doit couper notre arbre

mort. Nous allons fabriquer

du papier avec le bois.

– Que feras-tu avec ce papier ?

– C'est pour écrire un livre sur l'histoire de notre arbre.

– Quelle bonne idée ! Je le lirai avec toi. »

▶ **À ton avis, Paul va-t-il aider Julie ? Comment ?**

J'observe la langue.

A Dans ce bois, les arbres sont étranges.
Ils sont bossus.

B Les branches de mon arbre sont mortes.
Elles sont toutes noires.

J'entends et je repère.

1 La syllabe [zo].

3 🎧27 J'écoute la comptine.

4 La place du [z].

2 Les sons dans la syllabe.

Je vois.

Z   z

$\mathcal{Z}$ $\mathcal{z}$ douze

.S.

une maison

.s.

▶ J'entends [z].

👂 bi**s**ou / **z**èbre / on**z**e

▶ Je n'entends pas [z].

🚫 **s**irop / che**z**

Je déchiffre.

1 Des syllabes.

| z | o | → | **zo** | | .s | er | → | **.ser** | | zar |

| z | é | → | **zé** | | .s | on | → | **.son** | |

2 Des mots.

zoo	zéro	peser	maison	bazar
Zoé	zébu	friser	poison	bizarre
zozoter		raser	saison	lézar**d**
Zorro		reposer	raison	

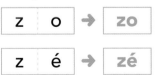
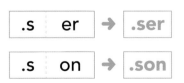

Pour fabriquer un livre

POUR UN LIVRE DE SEIZE PAGES, IL FAUT :

matériaux	outils
– 1/2 feuille de bristol ou de carton	– 1 paire de ciseaux ou un coupe-papier
– 2 feuilles de papier	– 1 perforatrice
– 1 fil de laine	

Étape 1 **Fabriquer les pages.**

Plier chaque feuille
au milieu avec soin.

Plier une deuxième fois
chaque feuille.

Découper le haut
de chaque page avec
une paire de ciseaux
ou un coupe-papier.

Fabriquer la couverture.

Plier le bristol
en deux.

Assembler le livre.

Mettre les pages
ensemble.

Insérer les pages
à l'intérieur de
la couverture.

Étape 4 **Relier le livre.**

Perforer le livre en
deux endroits pour
passer le fil de reliure.

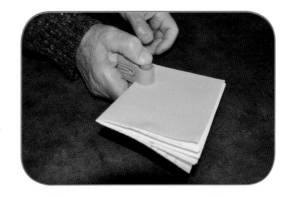

Passer le fil
dans chaque trou.

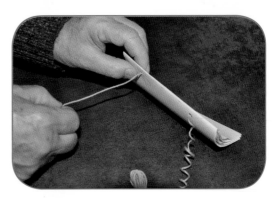

Nouer le fil
pour terminer
la reliure.

Le livre est terminé.

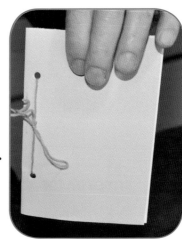

J'écris.

Écris ce que tu veux dans ton livre.

1 La syllabe [gã].

2 Les sons dans la syllabe.

3 🎵 J'écoute la comptine.

4 La place du [g].

Je vois.

G   g
$\mathcal{G}$ g une **g**omme

gu

gu dé**gu**isé

▶ J'entends [g].
   👂 **g**are / lé**g**ume

▶ Je n'entends pas [g].
   🚫 mélan**ge** / lon**g**

Je déchiffre.

1 Des syllabes.

| g | a | → | ga |

| g | a | r | → | gar |

gur
guir
gro
gre

| g | o | → | go |

| g | an | → | gan |

| g | ou | → | gou |

2 Des mots.

gazon	gomme	gou**t**	gan**t**	figure
garage	rigolo	égou**t**	toboggan	guirlande
gare	rigolade	égouttoir	élégan**t**	gro**s**
regar**d**	Congo	gouter	élégante	tigre

1 **Je relis les nouveaux mots.**

deuxième	l'intérieur	insérer
maintenant	la reliure	plier
seize		

2 **Je lis de nouvelles phrases.**

1. Pour écrire mon histoire, j'ai fabriqué un livre tout seul.

2. J'ai rangé mes ciseaux et ma perforatrice à l'intérieur de ma trousse.

3. Maintenant, je sais que tu habites au deuxième étage.

3 **Je lis un nouveau texte.**

Depuis quelques mois, j'ai fabriqué plusieurs livres :

Un livre pour rire et un livre pour pleurer.

Un livre pour les petits ou pour les grands, un livre à partager.

Un livre pour frémir et avoir peur.

Un livre pour chanter, un livre pour
préparer à manger, un autre pour se cultiver.

Un livre pour se calmer, s'apaiser,
mieux dormir et faire de beaux rêves.

▶ **Quel est ton livre préféré ?**

J'observe la langue.

Ⓐ Dans ma classe, Éléonore et Farida fabriquent un livre.
Elles souhaitent écrire une histoire.

Ⓑ À la bibliothèque, Jérémy et José lisent un livre.
Ils rient beaucoup.

1 La syllabe [pɛ̃].

2 Les sons dans la syllabe.

3 🔊 J'écoute la comptine.

4 La place du [ɛ̃].

Je vois.

in *in* un lap**in**   ain *ain* une m**ain**

▶ J'entends [ɛ̃].
   👂 mat**in** / p**ain**

▶ Je n'entends pas [ɛ̃].
   ✗ de la l**ain**e / term**in**é

Je déchiffre.

1 Des syllabes.

| p | in | → | **pin** |

| m | ain | → | **main** |

| p | ain | → | **pain** |

| .s | in | → | **.sin** |

| f | in | → | **fin** |

| z | in | → | **zin** |

plein
frein
train
crain

2 Des mots.

pin	fin	main	cousin	plein
sapin	afin	maintenant	voisin	frein
lapin	enfin	demain	magasin	train
pain	couffin	lendemain	raisin	craindre
		Romain	zinzin	

Je dois savoir écrire.

comme / mardi / samedi / mais / jamais / ne pas /

maman / dimanche / livre / quand / grand / elle

Je connais les sons et les lettres qui font les sons.

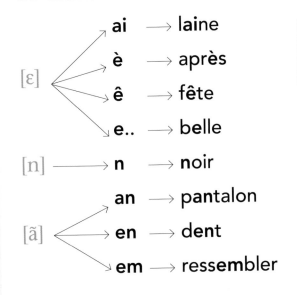

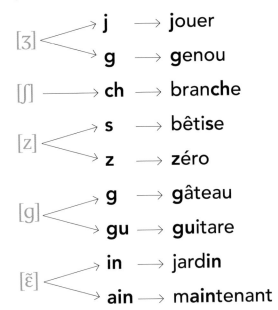

[ɛ]
ai → laine
è → après
ê → fête
e.. → belle

[n] → n → noir

[ã]
an → pantalon
en → dent
em → ressembler

[ʒ]
j → jouer
g → genou

[ʃ] → ch → branche

[z]
s → bêtise
z → zéro

[g]
g → gâteau
gu → guitare

[ɛ̃]
in → jardin
ain → maintenant

Je complète mes collections.

Je complète ma collection de [ɛ] → Je vois **ei** : s**ei**ze

Je complète ma collection de [z] → Je vois **x** : deu**x**ième

Je commence à remplacer les mots des phrases.

Les filles de la classe de Mélie fabriquent un livre.

Elles fabriquent un livre.

Les garçons fabriquent un livre.

Ils fabriquent un livre.

Les biches quittent la forêt en courant.

Elles ont peur.

Les beaux loups affolés quittent la forêt en courant.

Ils ont peur.

Farces, mensonges et honnêteté

Extrait de *Moi j'adore, maman déteste*
Élisabeth Brami, Lionel Le Néouanic

Moi j'adore, maman déteste

– le manche de la cuillère plein de confiture,
de beurre ou de chocolat.

– les taches d'encre sur les habits,
les mains, les murs et la pâte
à modeler dans les poils
de la moquette.

– qu'on lui raconte des bobards
et des mensonges.
– que papa nous permette quelque chose
qu'elle a interdit.

**Pourquoi maman déteste-t-elle qu'on lui raconte des bobards
et des mensonges ?**

1 La syllabe [tœʀ]

2 Les sons dans la syllabe.

3 🔊 30 J'écoute la comptine.

4 Je repère la place du [œ] ou du [ø].

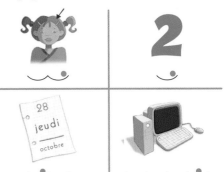

Je vois.

eu *eu*

du f**eu**

Je vois.

œu *œu*

un c**œu**r

Je déchiffre.

1 Des syllabes.

j	eu	→	jeu		l	eur	→	leur		fleur
v	eu	→	veu		t	eur	→	teur		pleur
										œuf

2 Des mots.

jeu	neveu	leur	docteur	fleuriste
jeudi	cheveu	valeur	facteur	pleurer
jeunesse	sèche-cheveu	voleur	tracteur	œuf
déjeuner	aveu	chaleur	aspirateur	bœuf
		couleur	ordinateur	

1 Je lis de nouvelles phrases.

    1. Maman déteste que je lui raconte des mensonges.

    2. J'adore quand mes habits sont tachés.

    3. J'ai mis plein de pâte à modeler dans les poils de la moquette.

2 Je lis un nouveau texte.

« Les pièces d'or que tu dois rapporter à ton père, demande la Fée, où sont-elles maintenant ?

— Je les ai perdues dans le bois ! »

C'est un mensonge : le petit pantin de bois a les pièces dans sa poche. Au moment où il ment, son nez s'allonge.

« Si tu les as perdues dans le bois, on va les chercher et on les retrouvera.

— Ah ! Maintenant, je me rappelle, réplique la marionnette, je n'ai pas perdu ces pièces d'or. Je les ai avalées. »

À ce second mensonge, son nez grandit tellement que le pantin ne peut plus tourner la tête.

D'après Carlo Collodi, *Les aventures de Pinocchio*

▶ **Sais-tu comment s'appelle ce petit pantin de bois ?**

J'observe la langue.

le garçon – la fille   un loup – une louve

le coq – la poule   un père – une mère

1 La syllabe [ɲɔ̃].

3 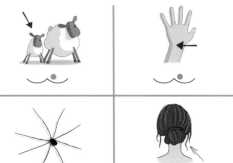 J'écoute la comptine.

4 La place du [ɲ].

2 Les sons dans la syllabe.

Je vois.

gn

gn

une monta**gn**e

Je déchiffre.

1 Des syllabes.

gn	e	→	**gne**		gn	on	→	**gnon**		gnal

gn	é	→	**gné**		gn	oi	→	**gnoi**		gnar

gnoir

2 Des mots.

montagne	araigné**e**	mignon	signal
ligne	poigné**e**	chignon	montagnar**d**
vigne	éloigné	trognon	poignar**d**
châtaigne	aligner	brugnon	peignoir
peigne	gagner	ognon	baignoire
grogne		champignon	

6

Le petit garçon qui criait au loup

Un jeune berger gardait tous les moutons de son village.

Il était seul dans les collines et parfois il s'ennuyait.

Un jour, il cria : « Au loup ! Au loup ! » Les villageois se

précipitèrent, armés de fourches et de bâtons, pour chasser le loup.

À leur arrivée, le berger éclata de rire : c'était une farce. Furieux,

les habitants redescendirent au village après l'avoir bien grondé.

Le garnement recommença plusieurs fois. Alors, ils décidèrent

de ne plus jamais l'écouter. Un soir, à la tombée de la nuit,

le cri du jeune berger retentit : « Au loup ! Au loup ! » […]

Débat

À ton avis, que vont faire les villageois ?
Que penses-tu de l'attitude du berger ?

1 La syllabe [pje].

2 Les sons dans la syllabe.

3 J'écoute la comptine.

4 La place du [j].

Je vois.

i *i* un avion

y *y* un crayon
un yaourt

▶ J'entends [j].

un cahier / le voyage

▶ Je n'entends pas [j].

la confiture / un stylo

Je déchiffre et j'observe.

pier	→ co**pier** / un pom**pier** / du pa**pier**
yer	→ abo**yer** / pa**yer** / netto**yer**
pion	→ un **pion** / un cham**pion**
cière	→ la sor**cière** / une poli**cière** / l'épi**cière**
yeu	→ des **yeu**x / jo**yeu**x
lieu	→ un **lieu** / au mi**lieu**

Je déchiffre des mots.

un clapier / un pie**d** / envoyer / un lion / un camion / une épicière
la première / une jardinière / soyeu**x** / vieu**x** / mieu**x**

6 Je m'entraine à lire.

1 **Je lis de nouvelles phrases.**

  1. Les villageois étaient armés de fourches et de bâtons
     pour défendre le jeune berger contre le loup.
  2. Les villageois fâchés décident de ne plus écouter le berger farceur.

2 **Je lis un nouveau texte.**

Un meunier discute avec un
professeur :
« Mon âne est tellement
intelligent que je peux tout
lui apprendre, même à lire,
affirme le meunier.
— Alors, apprends-lui à lire,

répond le professeur. Je te donne trois mois pour cela. »
De retour chez lui, pendant les trois mois, le meunier apprend
à lire à son âne. Il met sa nourriture entre les pages d'un gros livre.
Il lui apprend à tourner les pages avec sa langue pour trouver
la nourriture. Les trois derniers jours, il cesse de le nourrir.
Il retourne voir le professeur et lui demande un gros livre. Il le pose
devant l'âne affamé. Ce dernier tourne les pages avec sa langue et,
ne trouvant rien, se met à braire.
« C'est une bien étrange manière de lire, ricane le professeur.
— Oui, répond le meunier, c'est ainsi que les ânes lisent ! »

D'après les contes de Nasreddine Hodja

▶ **À ton avis, est-ce que le professeur pense que l'âne sait lire ?**

J'observe la langue.

un éléphan**t** – un**e** éléphant**e**   le lapin – l**a** lapin**e**
un marchan**d** – un**e** marchand**e**   le cousin – l**a** cousin**e**

88

1 La syllabe [taj].

2 Les sons dans la syllabe.

3 🔘 J'écoute la comptine.

4 La place du [j].

Je vois.

.ll. *ll.* — une fille

.ill. *ill.* — un caillou

.il *il* — le soleil

▶ **J'entends [j].**
👂 bille / réveil

▶ **Je n'entends pas [j].**
❌ mille / ville / fil

Je déchiffre et j'observe.

reuil → un écureuil
tail → un portail / un éventail

quille → une **quille** / une bé**quille**
trouille → la **trouille** / une ci**trouille**

Je déchiffre des mots.

elle se maquille / une coquille / un détail / un épouvantail / de l'ail
le travail / une patrouille / un gorille / une chenille / la famille
une feuille / il cueille / de la ratatouille / une grenouille

Je dois savoir écrire.

cinq / neuf / jeudi / fille / garçon / loup

Je connais les sons et les lettres qui font les sons.

[œ] ⟶ **eu** ⟶ la p**eu**r
        ⟶ **œ** ⟶ le c**œ**ur

[ø] ⟶ **eu** ⟶ bl**eu**

[ɲ] ⟶ **gn** ⟶ un champi**gn**on

[j] ⟶ **i** ⟶ un pan**i**er
      ⟶ **y** ⟶ un cra**y**on
      ⟶ **.ll.** ⟶ des bi**ll**es
      ⟶ **.il** ⟶ un trava**il**
      ⟶ **.ill.** ⟶ une grenou**ill**e

Je complète mes collections.

J'entends [s] ⟶ Je vois **sc** : en rede**sc**endant / la pi**sc**ine
J'entends [k] ⟶ Je vois **ch** : Pinoc**ch**io / une **ch**orale
J'entends [ɛ̃] ⟶ Je vois **ein** : pl**ein** / de la p**ein**ture

Je reconnais des lettres muettes.

gran**d**   mor**t**   éléphan**t**

Je compare des mots masculins et féminins.

un frère – un**e** s**œ**ur   le renar**d** – la renard**e**
un maitre – un**e** maitr**e**sse   le voisin – l**a** voisin**e**

EMMANUELLE ROBERT
RONAN BADEL

C'EST
PAS
MOI !

SEUIL JEUNESSE

J'observe une illustration.

Je recherche.

Où est le petit garçon ? Que penses-tu de ses jouets ?

Je raconte.

Raconte le jeu du petit garçon.

Extrait de *C'est pas moi (1)*

Maman est rentrée dans ma chambre très en colère,
avec les joues toutes rouges et les cheveux ébouriffés,
en disant que j'allais regretter ce que j'avais fait, [...]
qu'on en reparlerait et que je ferais mieux de me
changer en vitesse.

Quand je suis descendu, tout le monde était parti.
Il y avait un petit mot de papa sur la table
de la cuisine qui disait :

> Essaie de ranger
> ce que tu peux,
> on verra plus tard.
>   papa

J'ai trouvé ça bizarre
et j'ai mangé.

Qui raconte l'histoire ?

**À ton avis, pourquoi
la maman est-elle en colère ?**

1 Je lis de nouvelles phrases.

1. Maman disait que j'allais regretter ce que j'avais fait.

2. Maman a les cheveux ébouriffés et les joues rouges parce qu'elle est en colère.

3. Le mot de papa dit que je ferais mieux de ranger.

2 Je lis un nouveau texte.

> *DURAND Aurélie, à Paul*
>
> J'étais hors de moi ce matin, furieuse. Tu te rends compte de ce que notre fils a fait ?

> *DURAND Paul, à Aurélie*
>
> Je ne comprends pas… Je lui ai laissé un mot sur la table de la cuisine pour lui demander de ranger. L'as-tu vu ?

> *DURAND Aurélie, à Paul*
>
> Oui, bien sûr.
> J'ai dit à notre fils que nous en reparlerions ce soir.
> J'espère qu'il va commencer à ranger. À quelle heure rentres-tu à la maison ?
> J'ai une réunion importante jusqu'à 19 H.

> *DURAND Paul, à Aurélie*
>
> Je serai rentré avant toi.
> Je veille à ce que tout soit rangé. Nous en parlerons ensuite tous les trois pendant le diner.
> Je t'embrasse.

▶ À ton avis, qui sont Aurélie et Paul Durand ?

J'observe la langue.

un gran**d** frère	un gran**d** éléphan**t**
un**e** grand**e** sœur	un**e** grand**e** éléphant**e**

Apprenons à compter les syllabes !

Grand a un **d** qui ne s'entend pas, mais **Grande**
a un **d** qui s'entend. **Petit** a un **t** qui ne s'entend pas,
mais **Petite** a un **t** qui s'entend.
Et pourquoi donc ? À cause du **e** bien sûr !

Je reconnais les syllabes.

à l'oral	petit	petite	marchand	marchande
à l'écrit	petit	petite	marchand	marchande

Je vois, j'entends.

👁 d 👂 [d] frian**de**

👁 t 👂 [t] cour**te**

👁 n 👂 [n] u**ne**

Je vois, je n'entends pas.

👁 d ⊗ [d] frian<u>d</u>

👁 t ⊗ [t] cour<u>t</u>

👁 n ⊗ [n] un

J'observe pour mieux lire.

une fille gourman**de**	→	**un** garçon gourman**d**
une dame élégan**te**	→	**un** homme élégan**t**
une marchan**de**	→	**un** marchan**d**
une clien**te**	→	**un** clien**t**

Je lis.

1 **Je lis sans hésiter.**

1. un voyage intéressant → une aventure intéressante
2. un bon repas → une bonne tarte
3. un méchant dragon → une méchante sorcière
4. un vilain roi → une vilaine reine

7

Extrait de *C'est pas moi (2)*

C'est quand je suis allé à côté pour allumer la télé que j'ai compris. […]

La catastrophe :

– des miettes dans tous les coins

– les coussins partout

– des gribouillis sur les murs

– les livres renversés

– la lampe de papa par terre.

Je sais pas ce qui s'est passé mais c'est pas moi !

Vite-vite j'ai remis les choses à leur place, nettoyé, enlevé les taches de la moquette…

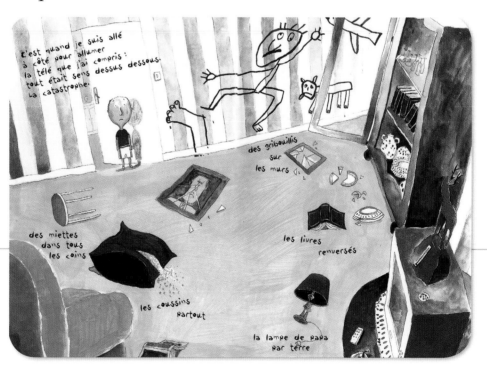

Je recherche.

Qui raconte l'histoire ?
Que fait le garçon quand il découvre la catastrophe ?

Décris tout ce que fait le petit garçon.

À ton avis, l'illustration montre-t-elle exactement
ce que dit le petit garçon ? Explique ta réponse.

1 Je lis de nouvelles phrases.

1. En arrivant dans le salon pour regarder la télé, j'ai compris pourquoi maman était très en colère.

2. Les livres, les coussins et la lampe de papa étaient renversés : une vraie catastrophe.

3. J'ai vite rangé, nettoyé et enlevé les taches sur la moquette.

2 Je lis une publicité.

Léo, réparateur de bêtises.
Avec Léo... pas de punition, que des solutions...

Téléphone-moi au +1016 54 95 62 35

→ Tu as cassé la vaisselle préférée de ta mamie ? Pas de problème j'arrive avec mon tube de colle « répare-tout ».

→ Tu as peint les poils du chien en bleu ? Pas de soucis, j'ai un shampoing décolorant.

→ Tu as mis tous les magazines de tes parents dans les toilettes ? Pas de panique, mon sèche-cheveu ultrapuissant va les sécher en un rien de temps.

→ Tu as décoré les murs du salon avec ta nouvelle boite de peinture ? Ne te tracasse pas, j'ai ce qu'il te faut : un nettoyeur vapeur.

▶ Et toi, t'arrive-t-il d'avoir besoin des services de Léo ?

J'observe la langue.

un peti**t** renar**d**
un**e** petit**e** renarde

le peti**t** coq
la petit**e** poule

Avec la lettre O.

Enlève le **u** de **mou**, ajoute-lui un **t** : il devient **mot**.
Et puis place bien le **n** et tu fais un **mont** !
Et maintenant prends un **pou** et recommence…

Je me rappelle.

📖	une m**o**to / un b**o**l	la s**ou**pe	la c**on**fiture / la p**om**pe
👁	**o**	**ou** (o+u)	**on** (o+n) / **om** (o+m)
👂	[o] ou [ɔ]	[u]	[ɔ̃]

J'observe pour mieux lire.

o → un vélo / le robot / un pot / un crocodile / trop

ou → partout / une poule / un ours / le loup / le hibou

on/om → le salon / contre / un monstre / une ombre / le pompier

Je lis.

1 **Je lis des phrases.**

1. Dans ma trousse à l'école, j'ai onze crayons et une gomme.
2. Un gourmand a dévoré mon pot de confiture.
3. Mon cousin Léon a un blouson marron et un bonnet rouge.
4. On voit souvent des ponts au-dessus des autoroutes.

2 **Je lis sans hésiter.**

zéro / un bouchon / mon / un stylo rouge / un monstre

aujourd'hui / il trouve / la trompe / le garçon / surtout

elles sont / une chose / un cochon / douze

Extrait de *C'est pas moi (3)*

Je me suis demandé ce qui avait bien pu se passer.
Il y avait eu du bruit, c'est sûr. En réfléchissant bien,
je me suis rappelé de quelque chose.
À un moment, j'étais sorti de ma chambre
pour aller faire pipi, et il y avait cette grande
ombre dans le couloir.
Mais bien sûr ! Un sale type était venu
et avait tout retourné pendant
que j'étais occupé.

C'est ce que j'ai dit à papa
et maman quand ils sont
rentrés. J'ai tout bien
raconté, même si je ne
me rappelais plus
de la tête du monsieur.

Je recherche.

Qui raconte l'histoire ?
Qui a fait les bêtises dans la maison ?

Je recherche.

Que font les personnages ?

J'écris.

Imagine ce que répondent les parents quand le petit garçon dit :
« Je ne me rappelle plus la tête du monsieur. »

1 Je lis de nouvelles phrases.

1. Je me suis rappelé qu'il y avait eu du bruit.

2. J'ai dit qu'il y avait une grande ombre dans le couloir, c'était celle d'un sale type.

3. J'ai raconté à papa et maman qu'un monsieur était venu et avait tout retourné dans le salon.

2 Je lis un nouveau texte.

Une forêt longe le village de Karim, mon grand-père. À chaque fois que je m'y promène, je fais des rencontres extraordinaires. Aujourd'hui encore, j'ai aperçu un vilain troll poilu. Cher journal, tu ne vas pas me croire mais voici tous les personnages étranges que j'ai rencontrés :

– une monstrueuse ogresse accompagnée de son mari, un ogre gigantesque ;
– un petit lutin rapide ;
– une magnifique fée ailée ;
– une splendide licorne ;
– une sorcière hideuse et méchante ;
– un dragon stupéfiant ;
– un fantôme ;
– un vilain troll poilu.

Débat

Et toi, écris-tu un journal intime ?

J'observe la langue.

un fantôme blanc
une licorne blanche

un gros dragon
une grosse sorcière

102

Avec la lettre O.

J'attrape un **loir**, je lui ôte son **l**.
Je le fais tourner : c'est un **roi** !
Attention, sans son **r** le **loir** veut faire la **loi**,
Alors je lui colle un **n** et il part bien **loin**.

Je me rappelle.

📖	le s**oi**r	**loin**
👁	**oi** (o+i)	**oin** (o+i+n)
👂	[wa]	[wɛ̃]

J'observe pour mieux lire.

oi → toi / moi / trois / un roi / une fois
oin → loin / moins / un coin / un point / du foin

Je lis.

1 **Je lis des phrases.**

  1. Le roi François a mangé tous les petits pois. Quel goinfre !

  2. Le cochon soigne son groin qu'il a coincé dans une boite.

  3. Est-ce toi qui as trempé ton doigt dans la confiture de coing ?

  4. Ce soir, je te raconterai l'histoire d'un grand roi et de ses trois filles.

2 **Je lis sans hésiter.**

  un toit / un couloir / un témoin / pointu / elle doit / le soin

  voilà / une coiffure / une voiture / bonsoir / au moins / le besoin

  le mois / le poing / il voit / la pointure / voici

Extrait de *C'est pas moi ! (4)*

Ils ne m'ont pas cru, m'ont envoyé me coucher,
et j'ai été puni. Et c'est pas moi. Pourtant il est connu,
cet homme. C'est lui qui passe dans toutes les maisons
pour y faire des saletés. [...]

Maintenant maman boude encore un peu mais elle
a décidé de changer la tapisserie du salon, elle dit que
ça lui changera les idées. Papa a enfin rangé son bureau.
Mais je l'sais bien
que c'était pas moi.
C'était l'autre.
Ce type, il rôde
sûrement quelque
part, à essayer
d'embêter un autre
enfant.
Et ça, les parents
ne le savent pas...

Qui raconte l'histoire ?
D'après le petit garçon, qui a fait toutes les bêtises dans la maison ?
Ses parents sont-ils d'accord avec lui ?

104

Je compare le texte et les illustrations.

Ce que dit le garçon	Ce que montre l'image

J'ai trouvé ça bizarre et j'ai mangé.

Vite-vite, j'ai remis les choses à leur place, nettoyé, enlevé les taches sur la moquette.

Mais rien à faire pour les dessins du mur, impossible de les faire partir.

Je ne sais pas ce qui s'est passé mais c'est pas moi !

Débat

**À ton avis, pourquoi les parents punissent-ils leur enfant ?
L'enfant ment-il ? Dit-il la vérité à ses parents ?**

1 Je lis de nouvelles phrases.

> **1.** Comme mes parents pensent que je dis des mensonges, ils m'ont envoyé me coucher.
>
> **2.** L'homme qui est venu chez moi est connu pour faire des saletés dans toutes les maisons.

2 Je lis des extraits de cahier de littérature.

Cahier de Ramira

Je pense que le sale type existe et que le petit garçon ne ment pas. Un enfant ne peut pas faire autant de dégâts dans une maison. Et puis, pourquoi on croirait plus les images que les paroles du petit garçon ?

Cahier de Rémi

Je pense que le petit garçon a inventé le sale type pour ne pas se faire punir. Bien sûr, il ment. Mais je crois que c'est parce qu'il sait qu'il a fait une bêtise très grave et qu'il a honte. Alors, il ne sait plus comment dire la vérité.

Cahier de Marie

Je pense que ce petit garçon est vraiment très sot. Il a tout abimé la maison de ses parents, il n'obéit pas à son père, il ment en inventant un sale type parce qu'il n'a pas le courage de dire la vérité.

▶ **Et toi, que penses-tu ? Écris-le.**

J'observe la langue.

le vélo neuf   le beau vélo

la voiture neuve   la belle voiture

J'aime les mots qui claquent et qui croquent
comme **canard**, **coq**, **cube**, **crocodile**, **craie**, **crabe**…
Mais je n'aime pas les mots qui sifflent tout seuls
et tout **doucement** comme **citron**, **cerise**
ou **cerceau** !

Je me rappelle.

📖	une **c**abane	du **c**oton	un **c**ube	**c**ela	mer**c**i
👁	**ca** (c+a)	**co** (c+o)	**cu** (c+u)	**ce** (c+e)	**ci** (c+i)
👂	[k]			[s]	

J'observe pour mieux lire.

👁 c 👂 [k]   une couleur / la colle / une cane / une cuve

👁 c 👂 [s]   ceci / cette / une glace / une racine / Cendrillon

Je lis.

1 **Je lis des phrases.**

   1. Je colorie ma carte avec des couleurs foncées.

   2. Comme j'ai peur des éclairs, je me cache sous ma couette.

   3. Cette glace au citron et à la cerise est délicieuse.

   4. Pendant les vacances, j'ai lu un conte de princes et de sorcières.

2 **Je lis sans hésiter.**

   la cascade / les lacets / copier / des ciseaux / cocorico
   un crocodile / un écureuil / un cirque / s'occuper / un bracelet
   une ambulance / un camion / reculer / le coq / le ciel

Je dois savoir écrire.

nous / vous / mon / voir / avoir / noir

Je sais découper des syllabes à l'écrit.

petit   *petite*

Je repère des lettres muettes.

J'entends [t] ⟶ Je vois **t** : élégan**te**

Je n'entends pas [t] ⟶ Je vois **t** : élégan**t**

J'entends [d] ⟶ Je vois **d** : une marchan**de**

Je n'entends pas [d] ⟶ Je vois **d** : un marchan**d**

Je complète mes collections.

J'entends [ʃ] ⟶ Je vois **sh** : du **sh**ampoing

J'entends [ɑ̃] ⟶ Je vois **am** : une l**am**pe / ma ch**am**bre

J'entends [k] ⟶ Je vois **k** : **K**arim

Je compare des mots masculins et féminins.

un monsieur gourman**d**   le pantalon cour**t**

un**e** dame gourman**de**   la jupe court**e**

le beau garçon   un long chemin

la be**lle** fille   un**e** long**ue** route

un petit renar**d**   le bon gâteau

un**e** petit**e** renarde   la bon**ne** soupe

Les petits cailloux

La Princesse
au petit pois

Nathan

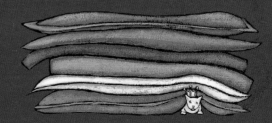

8

Extrait de *La Princesse au petit pois* (1)

Il était une fois un prince qui voulait épouser une princesse.

Seulement voilà, il voulait une vraie princesse !

Il fit donc le tour du monde pour en trouver une,

mais partout il critiquait et critiquait.

De princesses, certes, on n'en manquait pas, mais comment

être sûr qu'il s'agissait bien de vraies princesses ?

Toujours quelque chose en elles lui paraissait suspect.

Il rentra donc chez lui tout attristé de n'avoir pas trouvé

de vraie princesse à épouser !

Je recherche.

**Pourquoi le prince n'a-t-il
pas trouvé de vraie princesse
à épouser ?**

Fille du roi Dagobert et de la reine Berthe, habite le Royaume des Forêts.

Fille du roi Louis et de la reine Marie, habite un immense palais près de Paris.

Fille du roi Édouard et de la reine Victoire, habite dans un royaume lointain au nord de l'Europe.

Fille du roi Jean et de la reine Jeanne, habite le Royaume du bord de mer.

Débat

Le prince pourrait-il épouser l'une de ces princesses ? Pourquoi ?

1 Je lis de nouvelles phrases.

1. C'est l'histoire d'un prince qui veut épouser une vraie princesse.

2. Comme le prince ne trouve aucune vraie princesse,
   il rentre chez lui tout attristé.

3. Le prince critique toutes les princesses.

4. On ne manquait pas de princesses, mais aucune
   ne plaisait au prince.

5. Les princesses que le prince rencontre ont toujours
   quelque chose qui ne va pas.

2 Je lis des définitions.

prince [pʀɛ̃s] n. m. : Fils de roi ou membre de sa famille.
*Dans les contes, les princes sont souvent beaux, riches
et bien vêtus.*

princesse [pʀɛ̃sɛs] n. f. : Fille de roi ou épouse d'un prince.
*Dans les contes, les princesses ont souvent les cheveux longs et
portent des robes magnifiques.*

reine [ʀɛn] n. f. : épouse du roi. *Dans certains contes comme
Blanche-Neige, les reines sont méchantes.*

▶ **Lis la définition du mot princesse. Regarde à nouveau les princesses
de la page 111. Laquelle correspond le mieux à la définition ?**

J'observe la langue.

Ⓐ C'est l'histoire d'un prince qui veut épouser une vraie princesse.

C'est l'histoire d'un prince qui veut épouser une véritable princesse.

Ⓑ Le prince est attristé de ne pas avoir trouvé de princesse.

Le prince est malheureux de ne pas avoir trouvé de princesse.

Avec la lettre A.

Je prends le **au** de l'**auto** de Toto,
Je lui enlève son **u**, je lui donne un **n**.
Je le garde un **an**.
Puis j'ajoute un **g** et un **e** : c'est un p'tit **ange**.
Si je mets un chapeau sur son **a** et lui ôte son **g**
alors : c'est un **âne**.

Je me rappelle.

📖	un **a**mi	une b**an**de / une ch**am**bre	un **au**tre
👁	**a**	**an** (a+n) / **am** (a+m)	**au** (a+u)
👂	[a]	[ã]	[o] ou [ɔ]

J'observe pour mieux lire.

a ➜ le bal / le matin / une carte / malade / une banane
an/am ➜ quand / dans / un banc / une lampe / il campe
au ➜ aussi / autour / un autre / une auto / pauvre

Je lis.

1 Je lis des phrases.

   1. As-tu des animaux ? Moi j'ai un beau chat blanc.

   2. Aujourd'hui, Sarah a rangé sa chambre. Nathan aussi !

   3. L'éléphant est un animal plus grand et plus gros que le crapaud.

   4. Le taureau saute la barrière et se sauve dans le champ.

2 Je lis sans hésiter.

   le tambour / une année / quarante / abracadabra / dimanche
   méchante / elles dansent / un ananas / cinquante / le préau
   mardi / aussitôt / un pamplemousse / épouvantable / chaud

Je lis ce texte.

Extrait de *La Princesse au petit pois* (2)

Un soir, il faisait un temps horrible ; les éclairs se croisaient,

le tonnerre grondait, la pluie tombait à torrents.

C'était épouvantable !

Quelqu'un frappe à la porte du château,

et le vieux roi s'empresse d'aller ouvrir.

C'était une princesse qui attendait

dehors. Mais de quoi avait-elle l'air par cette

pluie et ce mauvais temps ! L'eau dégoulinait

de ses cheveux, coulait sur ses vêtements,

entrait par le nez

de ses souliers,

et sortait par le talon.

Néanmoins, en cet

état, elle déclara :

– Je suis une princesse !

« C'est ce que nous

saurons bientôt ! »

pensa la vieille reine.

**« Je suis une princesse »,
dit la jeune fille
qui frappe à la porte.
A-t-elle l'air d'une vraie
princesse ?**

Savoir reconnaitre une vraie princesse

Recette n°1

Un prince charmant fait essayer
une pantoufle très petite
à plusieurs princesses.
Il épouse la seule jeune fille qui
peut chausser cette pantoufle :
c'est une vraie princesse.

Recette n°2

Des sorcières fabriquent une potion
magique. Elles en font boire un verre
à une jeune fille. Si elle ne se transforme
pas en grenouille ou en crapaud, alors
c'est une vraie princesse.

Recette n°3

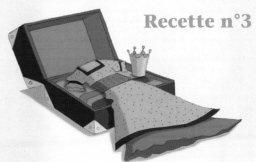

Une servante n'a pas de pouvoirs
magiques, mais elle s'occupe des bagages
de sa jeune maitresse. Si elle y trouve
des objets précieux et de splendides
robes, alors c'est une vraie princesse.

Je raconte et j'écris.

La vieille reine veut savoir si la jeune fille est une vraie princesse,
elle choisit une recette, et... Raconte ce qui se passe.
Écris un texte.

1 Je lis de nouvelles phrases.

1. Il faisait un temps horrible : c'était un soir d'orage.

2. La princesse n'avait pas l'air d'une princesse parce qu'elle était toute mouillée.

3. La reine pensa que, bientôt, ils sauraient si c'était une vraie princesse.

2 Je lis une autre version du conte.

Un soir, il faisait un temps abominable : des éclairs, du tonnerre, une pluie à torrents, c'était effrayant. On frappa à la porte du château et le vieux roi alla ouvrir.

C'était une vraie princesse qui était dehors. Mais, de quoi avait-elle l'air avec cette pluie et ce vilain temps ! L'eau coulait dans ses cheveux et sur ses vêtements ; elle entrait dans le nez de ses souliers et sortait par les talons. Elle dit qu'elle était une véritable princesse.

« Bon, c'est ce que nous allons savoir ! » pensa la vieille reine.

D'après Andersen

▶ **Cette histoire se passe-t-elle au même endroit que dans l'extrait du manuel, p. 114 ? Les personnages sont-ils les mêmes ?**

J'observe la langue.

Ⓐ Il faisait un temps abominable.
Il faisait un temps horrible.

Ⓒ C'était épouvantable !
C'était effrayant !

Ⓑ L'eau coulait dans ses cheveux.
l'eau dégoulinait dans ses cheveux.

Avec la lettre **A**.

Un **balai** sans son **ba** qui prend un **d** est bien **laid**.
Un **train** qui voyage avec un **e** est très lourd, il se **traine**.
J'ai **faim**, je remplace le **f** par un **p** et le **m** par un **n**
et je mange du **pain**.

Je me rappelle.

📖	une m**ai**son	un cop**ain** / la f**aim**
👁	**ai** (a+i)	**ain** (a+i+n) / **aim** (a+i+m)
👂	[ɛ]	[ɛ̃]

J'observe pour mieux lire.

ai ➜ mais / parfait / la vaisselle / le lait / laid / laide / l'air

ain ➜ une main / demain / le train / du pain / la crainte

aim ➜ la faim / un daim

Je lis.

1 **Je lis des phrases.**

   1. J'aime vraiment chanter cet air et surtout le refrain.

   2. C'est vrai, la pluie tombait et les éclairs se croisaient.

   3. Cette semaine, mes copains ont fait une sortie en train.

   4. Le poulain a faim. Il mange du pain sec dans ma main.

2 **Je lis sans hésiter.**

   il était une fois / un nain / mauvais / mauvaise / l'eau coulait

   le bain / maintenant / une dizaine / le balai / prochain

   on dirait / craindre / le lendemain / elle chantait

Extrait de *La Princesse au petit pois* (3)

Le soir, la vieille reine place un petit pois dans le lit de la princesse, sous vingt matelas et vingt édredons.

Le lendemain matin, on lui demanda comment elle avait passé la nuit.

– Oh ! horriblement mal ! répondit-elle.

C'est à peine si j'ai fermé l'œil de la nuit !

Dieu sait ce qu'il y avait dans le lit ;

c'était quelque chose de dur qui m'a rendu

la peau toute violette. Quel supplice !

À cette réponse, on sut qu'elle était

une véritable princesse, puisqu'elle

avait senti un pois à travers vingt

matelas et vingt édredons.

Quelle femme, sinon une princesse, pouvait avoir la peau aussi délicate !

Le prince se maria donc avec elle, car il était enfin certain d'avoir trouvé une véritable princesse.

Quant au pois, il fut placé dans le musée du palais où il se trouve encore, si personne ne l'a pris.

Je recherche.

Pourquoi la reine cache-t-elle le petit pois sous vingt matelas et vingt édredons ?

Débat

Qui décide que la princesse est une vraie princesse ?

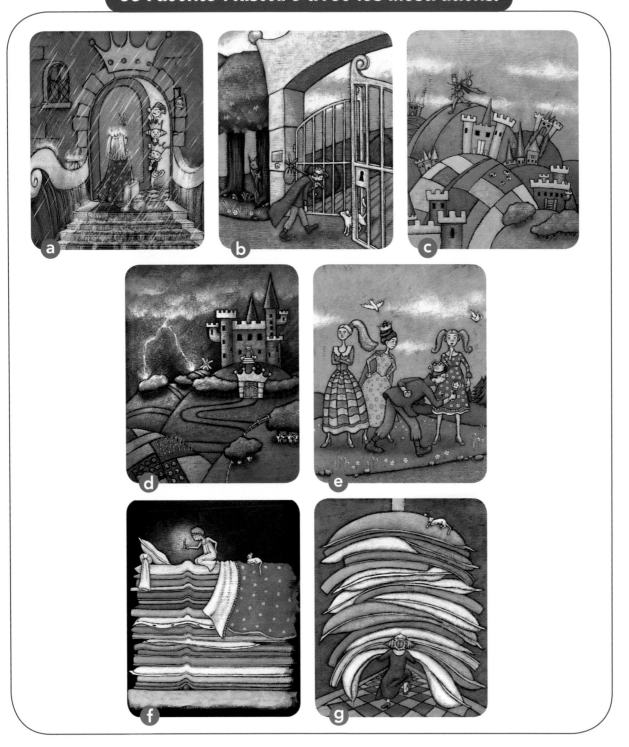

Je recherche.

Ces images racontent l'histoire de La Princesse au petit pois.
Retrouve l'ordre de l'histoire. Il manque une image à la fin. Laquelle ?

1 Je lis de nouvelles phrases.

1. Le petit pois, placé sous les matelas, a empêché la princesse de dormir.

2. La princesse est une vraie princesse parce qu'elle a la peau délicate.

3. Le prince est maintenant certain d'avoir trouvé une véritable princesse à épouser.

2 Je lis un extrait de Cendrillon.

[…] Au moment où Cendrillon apparut au bal du Roi, le prince sut que c'était la jeune fille qu'il attendait. Ils dansèrent toute la soirée. Cendrillon était radieuse, son cœur battait très fort.

Mais bientôt Cendrillon entendit les douze coups de minuit.

Il fallait qu'elle rentre. La fée, sa marraine, l'avait prévenue : si elle restait au bal après minuit, son carrosse redeviendrait une citrouille, ses chevaux des souris. Elle serait à nouveau vêtue de ses vieux habits.

Elle se sauva et, dans sa course, perdit une pantoufle de vair.

Le prince ramassa cette pantoufle. Il était tellement désespéré que le roi donna l'ordre de faire essayer la pantoufle à toutes les filles du royaume. Le prince épouserait celle qui pourrait la chausser. […]

D'après Charles Perrault, *Cendrillon*

J'observe la langue.

Ⓐ Au bal du roi, Cendrillon était **radieuse** dans les bras du prince.
À minuit, cendrillon était **malheureuse** de quitter le prince.

Ⓑ Devant le **désespoir** du prince, le roi décida d'aider son fils.
L'**espoir** du prince était de retrouver la jeune fille qui avait fait battre son cœur.

Avec la lettre G.

Nouveau secret de dragons

ORAGE
GROS NEIGE
G GLACE
LEGUME

Ils aiment les mots qui **gonflent** : **grand**, **gros**, **gorille**
ou les mots **gourmands** qui se **goutent** : **gâteau**, **glace**, **légume**.
Mais ceux qui **giflent** la **girafe géante**, qui **gèlent** sous la **neige**,
ils les **rangent** en attendant l'**orage**.

Je me rappelle.

📖	une **g**are	un **g**orille	un lé**g**ume	rou**g**e	une **g**irafe
👁	**g**a (g+a)	**g**o (g+o)	**g**u (g+u)	**g**e (g+e)	**g**i (g+i)
👂	[g]			[ʒ]	

J'observe pour mieux lire.

👁 g 👂 [g] un gâteau / un gant / une gomme / une figure

👁 g 👂 [ʒ] le genou / la plage / la magie / la boulangerie

Je lis.

1 Je lis des phrases.

1. Diego goute la gaufre de Gabin puis rigole !
2. Gaspard est très gourmand, il a mangé tout le nougat.
3. Le grand dragon gronde et sort ses griffes géantes.
4. Le gorille est dans sa cage et fait la grimace au gardien.

2 Je lis sans hésiter.

le garage / le garagiste / un piège / un toboggan

les bougies / le gagnant / un gigot / la gorge / rugir

un garçon / une orange / une mygale / partager / une virgule

Les Trois
Cochons Petits

Je lis.

Michel Van Zeveren, *Les Trois Cochons Petits*,
éditions Bayard

Je recherche.

Comment l'auteur invente-t-il ses histoires ?

Michel Van Zeveren, *Les Trois Cochons Petits et le prince charmant (1)*

Igor

Nestor

Fédor

Les Trois Cochons Petits
et le prince charmant

1. Aujourd'hui, c'est le grand ménage de printemps chez les Trois Cochons Petits. En rangeant, ils retrouvent plein de vieux jouets oubliés. « Oh, dit Igor, mon ours en peluche ! Le pauvre, il lui manque un bras et un œil ! »

Je recherche.

Comment s'appelle chacun des trois cochons ?
Ressemblent-ils à des personnages de conte ? Lesquels ?

Michel Van Zeveren, *Les Trois Cochons Petits et le prince charmant (2)*

2. Fédor, lui, a trouvé deux souliers
de vair. L'étiquette accrochée dessus
dit : « Surtout ne pas nous chausser ! »

3. Fédor, trop curieux, essaie
quand même les souliers, pour voir.
« Non ! Non ! » s'écrient ses frères.

4. Mais c'est trop tard... Dès que Fédor enfile les souliers,
il se transforme en Cendrillon !

À suivre

Je recherche.

Dans quel conte
y a-t-il aussi une
chaussure de vair ?

J'observe la langue.

Pour comprendre un mot, je lis une définition.

vair [vɛʀ] **n.m.** Fourrure d'un petit écureuil
gris : utilisée pour fabriquer des manteaux
et des chaussures.
*La pantoufle de vair dans le conte de Cendrillon
de Charles Perrault.*

Avec la lettre G.

Nous voulons garder notre **e** disent le **pigeon** et le **bourgeon**, sinon nous serons **bougons**.

Nous voulons garder notre **u** ajoutent la **vague**, la **bague** et la **guitare**, sinon nous **gèlerons**, **giclerons** ou **giflerons**.

Seul le **geai** qui perd son **e** devient **gai**.

ORAGE
GROS NEIGE
G GLACE
LEGUME

Je me rappelle.

📖	un pi**ge**on	il man**ge**ait	une ba**gue**	un **gu**ide
👁	**geon** (g+e+o+n)	**geai** (g+e+a+i)	**gue** (g+u+e)	**gui** (g+u+i)
👂	[ʒ]		[g]	

J'observe pour mieux lire.

👁 g 👂 [ʒ] un bour**g**eon / elle bou**g**eait / nous man**g**eons

👁 g 👂 [g] lon**g**ue / une **g**uitare / une va**g**ue

une robe lon**gue** → **un** pantalon lon**g**

Je lis.

1 Je lis des phrases.

   1. La guenon a la bougeotte et tire la langue au guépard.

   2. La guêpe est fatiguée. Elle se pose sur une marguerite.

   3. Nous mangeons des figues et buvons une orangeade.

2 Je lis sans hésiter.

   le plongeoir / une guirlande / des nageoires / une baguette
   se déguiser / du muguet / nous plongeons / nous rangeons
   guetter / le guidon / un bougeoir / naviguer

Michel Van Zeveren, *Les Trois Cochons Petits et le prince charmant (3)*

6. « C'est le prince charmant, dit Igor !
Il sait que Cendrillon est ici ! »

5. Tout à coup, quelqu'un chante
sous la fenêtre. Nestor demande :
« C'est qui, ce bonhomme ? »

7. « Oh, attention ! prévient Nestor.
Le prince escalade le mur
pour venir chercher Cendrillon ! »

Je recherche.

Nestor dit : « C'est qui ce bonhomme ? » De qui parle-t-il ?

8. « Zut ! Comment lui échapper ? »
s'inquiètent
les Trois Cochons Petits.

9. « J'ai une idée ! dit Nestor.
Retire vite tes souliers de vair
et donne-les moi ! »

10. Et Nestor enfile les souliers
à son vieil ours en peluche...

11. ... qui, à son tour, se transforme
aussitôt en Cendrillon !

À suivre

Je recherche.

Pourquoi Nestor enfile-t-il les souliers au vieil ours en peluche ?

Les Trois Cochons Petits et le prince charmant (4)

12. Et comme par enchantement,
Fédor redevient lui-même :
un vrai Cochon Petit !

13. C'est à ce moment
que le prince charmant
fait son apparition. Il voit Cendrillon...

14. ... la prend dans ses bras, l'embrasse follement et l'emmène
sur son cheval blanc ! « Ouf, bon débarras ! » se disent les Trois Cochons Petits.

Je recherche.

Qui le prince charmant embrasse-t-il ?
Rappelle-toi l'histoire de Cendrillon. Que peut-il se passer
à la fin de l'histoire que tu viens de lire ?

Avec la lettre I.

Un **cousin** et un **voisin** qui attrapent un **e** se mettent
au féminin et deviennent une **cousine** et une **voisine**.
Mais **le machin** n'est pas le mari de la **machine**.
Et le **sapin** ? Il ne prend jamais de **e** et n'a pas de féminin.

Je me rappelle.

📖	un mat**in**	un t**im**bre	une cuis**ine**
👁	**in** (i+n)	**im** (i+m)	**ine** (i+n+e)
👂	[ɛ̃]		[in]

J'observe pour mieux lire.

in ➜ un poussin / le raisin / fin
im ➜ important / impoli
ine ➜ une machine / la cuisine / fine

| un jardin | ➜ | je jardine | | un cousin | ➜ | une cousine |
| un câlin | ➜ | je câline | | un voisin | ➜ | une voisine |

Je lis.

1 **Je lis des phrases.**

   1. Il est impossible de grimper cette colline.

   2. Est-il simple de dessiner un dauphin ?

   3. Ce matin, la lapine a visité mon jardin. Quelle coquine !

2 **Je lis sans hésiter.**

   la Chine / quinze / une narine / le singe / elle dessine
   imprimer / timbrer / cinq / le requin / elle dine / le gamin

Je dois savoir écrire.

parce que / au / aussi / marron / jaune / blanc / rouge /
orange / gris

Je me rappelle.

[g]
g
â → un **g**âteau
u → un lé**g**ume

gu
e → une lan**gu**e
i → une **gu**itare

[ʒ]
g
e → l'ora**g**e
i → une **g**irafe

ge
ai → il man**ge**ait
on → un pi**ge**on

Je ne confonds pas.

un patin [ɛ̃] / il patine [in]

un nain [ɛ̃] / une naine [ɛn]

Je complète mes collections.

J'entends [s] ⟶ Je vois **t** : précau**t**ion / atten**t**ion
J'entends [ɛ̃] ⟶ Je vois **aim** : j'ai f**aim**

Je compare le sens des mots.

une **vraie** princesse   un prince **malheureux**
une **véritable** princesse   un prince **heureux**

Un prince était **malheureux** parce qu'il ne trouvait pas de **vraie**
princesse. Mais, un jour, une jeune fille frappa à sa porte. Il allait
enfin être très **heureux**, car c'était une **véritable** princesse.

Tony Ross

La soupe au caillou

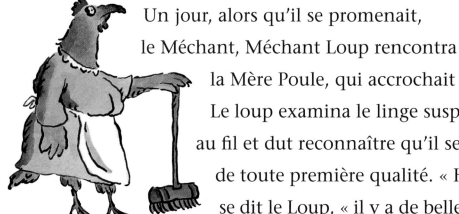

Extrait de *La Soupe au caillou (1)*

Un jour, alors qu'il se promenait,
le Méchant, Méchant Loup rencontra
la Mère Poule, qui accrochait sa lessive.
Le loup examina le linge suspendu
au fil et dut reconnaître qu'il semblait
de toute première qualité. « Hum »,
se dit le Loup, « il y a de belles choses
à récupérer par ici. »

Et il s'arrêta donc pour bavarder un peu.

« Bonjour ! » dit le Loup. « Je crois que je vais te croquer
et, ensuite, je volerai toutes tes jolies affaires. »

« Merci beaucoup, caqueta la Mère Poule.

Mais, avant cela, tu voudrais peut-être

manger de la soupe ? »

« C'est très aimable de ta part,

sourit le Méchant, Méchant Loup.

J'aimerais bien de la soupe et,

ensuite, je te mangerai. »

Débat

Comment s'appellent le loup et la poule ? Pourquoi l'auteur a-t-il
donné ces noms à ses personnages ?
À ton avis, est-ce que la poule a peur du loup ?

Débat

Quels loups peuvent correspondre à l'histoire ? Pourquoi ?

1 **Je lis de nouvelles phrases.**

1. Au début de l'histoire, le loup rencontra une poule qui étendait son linge.
2. Le loup trouva que le linge de la poule était de bonne qualité.
3. Le loup dit à la poule : « Je vais te croquer. »
4. Le loup dit à la poule : « Je vais te voler tes affaires. »

2 **Je lis un nouveau texte.**

Le loup

Le loup est un animal sauvage qui vit en forêt dans des régions froides ou en montagne. Les loups avaient presque disparu en France mais depuis quelques années, ils sont revenus. Les éleveurs se plaignent que les loups attaquent leurs troupeaux de moutons.

Le loup est un animal carnivore. Comme le chien-loup qui lui ressemble, il a des crocs solides pour attraper des proies vivantes.

▶ Ce texte explique comment est le loup dans la réalité. Que peux-tu dire du loup du livre de Tony Ross ?

J'observe la langue.

Le loup est un animal sauvage.	Le chien n'est pas un animal sauvage.
Le loup vit en forêt.	Le chien ne vit pas en forêt.
Le loup a des crocs solides.	Le chien a des crocs solides.

Avec la lettre E.

Il **rêve** qu'il attrape un **u** puis un **r**, quel **rêveur** !
Le **chat** botté met son chapeau sur le **a**, chausse un **e**, un **a**,
un **u** et entre dans son **château**.

Je me rappelle.

📖	petit	jeudi	un troupeau
👁	**e**	**eu** (e+u)	**eau** (e+a+u)
👂	[ə]	[œ] ou [ø]	[o]

J'observe pour mieux lire.

e → un chemin / demain / le regard / au revoir

eu → un déjeuner / le feu / le docteur / deux

eau → un morceau / l'eau / un oiseau / un agneau

📖 m**ê**me → 👁 ê → 👂 [ɛ]

📖 tr**è**s → 👁 è → 👂 [ɛ]

📖 d**é**sol**é** → 👁 é → 👂 [e]

Je lis.

1 Je lis des phrases.

1. Le lionceau veut jouer au bord de l'eau avec le zèbre.

2. Mon amoureux accroche une fleur à mon chapeau.

3. Le voleur a caché le cerceau du jongleur sous le chapiteau.

2 Je lis sans hésiter.

depuis / dessous / dessus / un gâteau / un peu / il peut

la couleur / neuf / le marteau / les ciseaux / les cheveux

le couteau / la chaleur / le château / le berceau / un jeu / un pneu

Extrait de *La Soupe au caillou (2)*

La Mère Poule ramassa un caillou sur le chemin.

« Je vais faire de la SOUPE AU CAILLOU, dit-elle.
C'est très particulier. »

« Cela doit l'être, dit le Loup. J'ai mangé des potages
dans les meilleurs endroits et je n'ai jamais entendu
parler de celui-là. »

La Mère Poule fit bouillir de l'eau et jeta le caillou dans
la casserole.

Comme le Loup ne croyait pas qu'on pouvait faire
de la soupe avec un caillou, il en goûta un petit
peu dans une cuiller.

« Phuuut ! cracha-t-il. Cela a un goût d'eau chaude. »

« Bien sûr », répondit la Mère Poule d'un ton sec.

Débat

Pourquoi la poule répond-elle « Bien sûr » d'un ton sec ?

Voici des illustrations extraites de l'album.
Que fait la poule ? Pourquoi ?

1 Je lis de nouvelles phrases.

1. Le loup a mangé beaucoup de soupe, mais jamais de soupe au caillou.

2. Pour faire la soupe au caillou, la poule fait bouillir de l'eau et jette un caillou dans la casserole.

3. Le loup trouve que la soupe a un gout d'eau chaude.

2 Je lis une recette de cuisine.

La soupe aux légumes

- Laver un poireau et une branche de céleri.
- Éplucher un ognon.
- Éplucher et laver deux carottes, trois pommes de terre, une courgette, trois navets.
- Couper tous les légumes en morceaux.

- Verser de l'eau dans une grande marmite. Ajouter tous les légumes et une feuille de laurier.
- Faire bouillir puis laisser cuire à feu doux pendant 40 minutes.
- Mixer la soupe.
- Saler et poivrer à votre gout et ajouter deux cuillères à soupe de crème fraiche.

▶ **Quels sont les ingrédients utilisés pour cette recette ?**

J'observe la langue.

La poule demande à ses amis : « Aimez-vous la soupe au caillou ? »

« Non, je **n'**aime **pas** la soupe au caillou. », <u>répond</u> le cochon.

« Non, je **n'**aime **plus** la soupe au caillou. », <u>précise</u> le canard.

« Non, je **n'**ai **jamais** aimé la soupe au caillou. », <u>ajoute</u> le chat.

Avec la lettre E.

Quand il va trop vite, le **frein** met un **e** et **freine**.
Le **peintre** enlève son **i** et son **r** pour monter
la **pente** plus vite.

Je me rappelle.

📖	le v**en**t	le t**em**ps	un p**ei**gne	la p**ein**ture
👁	**en** (e+n)	**em** (e+m)	**ei** (e+i)	**ein** (e+i+n)
👂	[ã]		[ɛ]	[ɛ̃]

J'observe pour mieux lire.

en / em ➔ la dent / gentil / comment / trembler / tremper

ei   ➔ seize / la neige / la peine / une reine

ein   ➔ peindre / éteindre / plein / un frein

un**e** malle plein**e** ➔ un coffre plein

Je lis.

1 Je lis des phrases.

1. La reine a de la peine : elle a cassé son joli peigne !
2. Le vent emporte la neige. C'est la tempête.
3. La vieille jument descend lentement la pente.

2 Je lis sans hésiter.

en ce moment / treize / il rentre / éteindre / pleine / la ceinture
le peintre / le serpent / le réveil / souvent / c'est embêtant
il peint / elles pensent / une empreinte / décembre

Je lis ces extraits.

Extraits de *La Soupe au caillou* (3)

Ce que la poule demande au loup

❶ « Il faut ajouter du sel et du poivre [...]. Pendant que j'assaisonne, pourquoi ne ferais-tu pas un peu de vaisselle ? »

« D'accord ! » répondit en riant le Méchant, Méchant Loup.

❷ « Sans doute que quelques carottes aideraient le caillou à cuire [...]. Pendant que tu attends, tu pourrais peut-être nettoyer et épousseter un peu la maison ? »

« D'accord ! » répondit en souriant le Méchant, Méchant Loup.

❸ « J'ai oublié les pommes de terre ! »
[...] « En attendant, [...] tu pourrais
rentrer le linge avant qu'il pleuve. »
« D'accord ! » répondit le Méchant,
Méchant Loup. [...]

❹ « Pendant que je cherche
des navets, pourrais-tu
couper quelques bûches ? »[...]
« D'accord » murmura le
Méchant, Méchant Loup. [...]

❺ « Quelques herbes amélioreront
vraiment le goût du caillou. Pendant
que tu attends, sois gentil et fixe
l'antenne de la télévision sur le toit. »
« D'accord », grogna le Méchant,
Méchant Loup. [...]

Débat

**Pourquoi le loup accepte-t-il de faire tous ces travaux
pour la poule ?**

Extraits de *La Soupe au caillou (4)*

Ce que le loup dit sur la soupe.

« J'ai mangé des potages dans les meilleurs endroits
et je n'ai jamais entendu parler de celui-là. »

« Cela a un goût d'eau chaude. »

« Beurk ! [...] Pire que tout à l'heure. Cela a un goût
d'eau chaude salée maintenant. »

« Ce n'est pas beaucoup mieux. »

« Elle est déjà meilleure [...] mais pas encore tout
à fait bonne. »

« C'est parfait ! [...] Mangeons-la tout de suite. »

« Qui aurait jamais cru [...] qu'un simple caillou
donnerait une soupe aussi formidable ! »

▶ **Que peux-tu dire
du caractère du Méchant,
Méchant Loup ?**

J'observe la langue.

« **D'accord !** », <u>répondit en riant</u> le Méchant, Méchant Loup.

« **D'accord !** », <u>répondit en souriant</u> le Méchant, Méchant Loup.

« **D'accord.** », <u>murmura</u> le Méchant, Méchant Loup.

« **D'accord.** », <u>grogna</u> le Méchant, Méchant Loup.

Avec la lettre T.

La **partie** commence par une **addition**, fais bien **attention** !
Tu prends une **potion** magique, tu ajoutes un **r** avant le **t**
et tu trouves une **portion** de cette **potion**.

PARTIE
PORTION R
T POTION
ATTENTION

Je me rappelle.

📖	il est par**ti**	la pa**tien**ce	une protec**tion**
👁	**ti** (t+i)	**tien** (t+i+e+n)	**tion** (t+i+o+n)
👂	[t]	[s]	

J'observe pour mieux lire.

👁 t 👂 [t] timide / un tiroir / une tartine / une tétine

👁 t 👂 [s] une solution / une disparition / une portion

un garçon intelligen**t** → un**e** **fille** intelligent**e**

Je lis.

1 Je lis des phrases.

1. Après la récréation, Sébastien a fait des additions.
2. Le chien dalmatien de Timothée est tout petit.
3. Le tigre attend patiemment que le lion soit parti.

2 Je lis sans hésiter.

un titre / le tissu / une punition / une soustraction
une opération / une compétition / les Égyptiens / attention
il tire / un bâtiment / gentiment / il tient / le tien / une question

Tony Ross
La soupe au caillou

Extrait de *La Soupe au caillou* (5)

La Poule demanda au Loup de nettoyer la cheminée pendant
que la soupe finissait de cuire.

Le temps que le Loup ait nettoyé la cheminée,

la Mère Poule avait jeté dans sa casserole quelques

haricots, un peu de chou, quelques lentilles et une courgette.

Avec fierté, elle donna au Loup une cuillerée à goûter.

Il fut enchanté. « Qui aurait jamais cru,

soupira-t-il, qu'un simple caillou donnerait

une soupe aussi formidable ! »

« Je suis contente que tu l'aies aimée, dit la Mère Poule

quand le Loup eut fini la soupe. Maintenant,

tu peux me manger, moi. »

« Je ne peux plus, haleta le Loup. J'ai le ventre trop rempli. »

« Voyez-moi ça, dit la Mère Poule. Alors, tu ferais mieux

de voler mes affaires, et puis de t'en aller. »

Le Méchant, Méchant Loup sauta sur ses pattes et,

avec un grognement terrible...

... il attrapa le caillou et s'enfuit à toutes jambes.

Débat

Que fait le loup à la fin de cette histoire ? À ton avis, pourquoi ?

Avant l'histoire

Après l'histoire

Débat

L'auteur a placé ces illustrations au début et à la fin de son texte.
Pourquoi ?

1 | Je lis de nouvelles phrases.

1. Le méchant loup attrapa le caillou et s'enfuit.
2. La poule dit au loup : « Je suis contente que tu aimes ma soupe. »
3. Le loup n'a plus faim pour manger la poule.

2 | Je lis un extrait de *La Chèvre de Monsieur Seguin.*

Énorme, immobile, assis sur son train de derrière, il était là, regardant la petite chèvre blanche et la dégustant par avance. Comme il savait bien qu'il la mangerait, le loup ne se pressait pas ; seulement, quand elle se retourna, il se mit à rire méchamment : « Ha ! ha ! la petite chèvre de M. Seguin ! » et il passa sa grosse langue rouge sur ses babines d'amadou.
Blanquette se sentit perdue… […]

La Chèvre de Monsieur Seguin, Alphonse Daudet.

Le loup et la chèvre combattent toute la nuit. Au matin, la petite chèvre s'allonge sur le sol et le loup se jette sur elle et la mange.

▶ **Pourquoi le loup se met-il à rire méchamment quand la chèvre le voit ?**

J'observe la langue.

« **A**s-tu aimé ma soupe **?** », <u>questionne</u> la poule.
« **E**lle est formidable **!** », <u>s'exclame</u> le loup.
« **V**eux-tu me manger maintenant **?** », <u>demande</u> la poule.
« **J**e n'en peux plus**.** », <u>halète</u> le loup.

Nouvelle recette de sorcière

Prenez un **poisson**.

Enlevez un **s**.

Découvrez du **poison**.

Je me rappelle.

📖	un **s**apin	une dan**s**e	une bro**ss**e	une cho**s**e
👁	s	s	ss	s
👂		[s]		[z]

J'observe pour mieux lire.

👁	s ou ss	👂	[s]	une histoire / un bus / pousser
👁	s	👂	[z]	une rose / une cuisine / croiser
👁	s	👂̸	[s]/[z]	je lis / un tapis / un radis / des branches

Je lis.

1 **Je lis des phrases.**

   1. Lisa dessine une maison, un soleil, des roses et aussi des oiseaux.

   2. Ma cousine Sophie est assise sous le cerisier.

   3. Samedi, Sofiane a pêché tout seul six poissons dans le ruisseau.

   4. Papa se rase tous les jours sinon sa barbe pousse sans cesse.

2 **Je lis sans hésiter.**

sinon / surtout / ensuite / soudain / danser / des cerises
une course / la classe / penser / passer / laisser / du poison
il creuse / il sait / une sieste / une tasse / le vase / une fusée
des fraises / il casse / une sirène

17ᵉ festival
du livre pour enfant

Livreville fête les histoires
Du 26 au 28 mai 2017

Des livres pour petits et grands à déguster sans modération.

à Livreville,
Parc des expositions
35 rue Tony Ross

www.livreville-histoire.org

Ouverture du salon

Vendredi 26 mai à 14 heures

Ouverture du salon en présence de M. le Maire et des enfants des écoles.

Visites libres ou commentées.

Expositions

Du vendredi 26 au dimanche 28 mai

- Stands de livres jeunesse.
- Illustrations et textes réalisés dans les écoles qui ont accueilli un auteur du salon.

Rencontres et dédicaces

Du vendredi 26 au dimanche 28 mai, de 15 à 18 heures

- Caroline Palayer
- Ronan Badel
- Emmanuelle Robert
- Zaü
- Magdalena

Lectures

Samedi 27 mai à 11 heures

Découvrez un nouveau tapis de lecture.
À partir de 5 ans

Samedi 27 mai à 15 heures

Lecture d'œuvres écrites ou illustrées par Tony Ross.

Rencontre Marcus Malte

Dimanche 28 mai à 15 heures

Marcus Malte présentera son album poétique :
Le chapeau, et c'est toujours la même histoire.

9

Mon livre préféré

C'est mon livre préféré parce que le loup se fait avoir par la poule. On l'a lu à l'école. Il croit qu'il va la manger, mais la poule est maligne. Elle lui tend un piège et le loup tombe dedans.

J'aime bien aussi les Trois Cochons Petits, car le Prince embrasse un nounours et il croit que c'est une princesse.

Mon livre préféré

C'est un livre que j'ai lu pendant le festival.
Mes parents me l'ont acheté.
Titre : Chien bleu
Auteur : Nadja
éditeur : L'école des loisirs.

J'aime cette histoire parce que la petite fille, Charlotte, est amie avec un chien bizarre. Elle partage son gouter avec lui. Après, Chien bleu sauve Charlotte et ses parents acceptent de le garder. Même si au début, ils ne voulaient pas. J'aimerais être ami avec un chien !

Avec la lettre X.

Le **boxeur** prend un **taxi**.

L'**exercice** commence par un **exemple**.

Six et **dix** se promènent sans **deux**.

Et le **sixième**, qu'en faire ? Le mettre avec le **deuxième**.

Je me rappelle.

📖	le ta**x**i	un e**x**emple	si**x**	si**x**ième
👁	**x**	**x**	**x**	**x**
👂	[ks]	[gz]	[s]	[z]

J'observe pour mieux lire.

👁 **x** 👂 [ks] un texte / extraordinaire / un klaxon / fixer

👁 **x** 👂 [gz] un exercice / un exemple / exister / exact

👁 **x** 👂 [s] six / soixante / dix / soixante-dix

👁 **x** 👂 [z] sixième / deuxième

Je lis.

1 **Je lis des phrases.**

1. Axelle joue du saxophone depuis six ans.

2. J'entends le klaxon, c'est mon taxi qui arrive.

3. Alexandra et Maxime ont fait leur deuxième exercice.

2 **Je lis sans hésiter.**

la boxe / le boxeur / une excuse / tu exagères / c'est excellent

le dixième / une explication / une explosion / le maximum

une exposition / soixante-six / un xylophone

Je dois savoir écrire.

bleu / vendredi / deux / dire / lire / écrire / faire / dix / six

Je me rappelle.

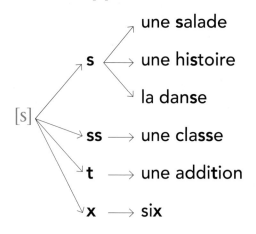

Je ne confonds pas.

il <u>ren</u>tre [ã] / le <u>re</u>nard [ə]

p<u>lein</u> [ɛ̃] / p<u>leine</u> [ɛn]

Je reconnais des points différents et des mots pour faire parler les personnages.

« **V**eux-tu de la soupe aux légumes **?** », <u>questionna</u> la poule.

« **N**on merci, je n'aime pas la soupe aux légumes**.** », <u>refusa</u> le loup.

« **P**réfèrerais-tu de la soupe au caillou **?** », <u>demanda</u> la poule.

« **B**eurk **! Q**uelle idée **!** Je n'ai jamais mangé de soupe au caillou**.** », <u>dit</u> le loup.

« **E**h bien, tu vas m'aider à faire cette soupe**.** », <u>ordonna</u> la poule.

Marcus Malte
Rémi Saillard

Le chapeau

Et c'est toujours la même histoire

SYROS

Je lis ce texte.

Extrait de *Le Chapeau, et c'est toujours la même histoire* (1)

C'est l'histoire

d'un chapeau qui s'envole

Parce que le vent est trop fort

Parce que le crâne est trop gros

Parce que le chapeau est trop petit

C'est l'histoire

d'un tout petit chapeau

Tout rond

Tout noir

Un chapeau melon

Qui se prend

Pour un oiseau

Et qui retombe

– Forcément –

Dans un ruisseau

C'est l'histoire

d'une grenouille

Au bord d'un ruisseau

Qui rêve de voyages

Qui rêve de voir la mer

[…]

Et qui voit soudain

Un chapeau

Renversé

Flottant sur l'eau

Là

sous son nez […]

C'est l'histoire

d'un gros poisson

Très gros

Très glouton

Avec une bouche énorme

Pleine de dents

Mais qui n'a rien mangé

Depuis longtemps

Si longtemps

Que son estomac gargouille

« Grrouuil-grrouuil »

Je recherche.

Peux-tu compter le nombre de phrases dans ce texte ? Pourquoi ?
Y a-t-il un début d'histoire ou plusieurs ? Pourquoi ?

10

Extrait de *Le Chapeau, et c'est toujours la même histoire (2)*

Mais c'est l'histoire

Aussi

D'un monsieur

Assis

Tout seul

Sur un rocher

Au bord de l'océan

Qui pêche à la ligne

Qui attend

Un poisson

Ou une fiancée

Qui sait ?

« Ah, une fiancée... soupire-t-il,

Une sirène, une fée... »

Un peu triste le monsieur

Parce qu'il est tout seul

Justement

Comme une île

Au milieu

De l'océan

Je recherche.

Fais la liste de ce que le monsieur attend.

J'observe la langue.

Le poisson a une bouche énorme.

Le**s** poisson**s** **ont** une bouche énorme.

Il a une bouche énorme.

Il**s** **ont** une bouche énorme.

Avec les lettres I et Y.

Un **violon** perd son **i** et se met à crier en ajoutant un **s** : « **volons !** »

Un **fil** enfile deux **l** et un **e**, et se transforme en **fille**.

Les **balais** échangent leur **i** contre un **y** pour mieux **balayer**…

Je me rappelle.

📖	un avion	un crayon	une bille
👁	i	y	i+ll
👂	[j]		[ij]

J'observe.

👁 i 👂 [j]   un avion / un cahier / un violon / la viande

👁 ill 👂 [ij]   une bille / une fille / une quille / il brille

👁 y 👂 [j]   un voyage / un crayon / s'ennuyer / payer

Attention

👁 ll 👂 [l]   la ville / un village / mille

Je lis.

1 **Je lis des phrases.**

1. Camille est très fière car elle a presque mille billes.
2. Dans ma famille, toutes les filles ont les yeux bleus.
3. Les chenilles deviennent de jolis papillons.

2 **Je lis sans hésiter.**

un pied / vieux / briller / le dernier / la vanille / le lion

le camion / le mien / le sien / la coquille / joyeux / joyeusement

les voyelles / des béquilles / une aiguille / un yaourt / le yoyo

le premier / des myrtilles / un piano / le noyau

Extrait de *Le Chapeau, et c'est toujours la même histoire (3)*

Le monsieur attend
Patience patience
Le temps a tourné
La mer est verte
La mer est grise
Le ciel aussi
Comme le fond
de ses pensées
Ses soucis
Patience patience
Le monsieur attend

Mais le temps a passé
Et le monsieur
À présent
En a assez
Il désespère
Il lance un grand cri
En l'air
Qui retombe
– Forcément –
Et ricoche
Sur la mer
Loin
Très loin
Jusqu'à la ligne
De l'horizon

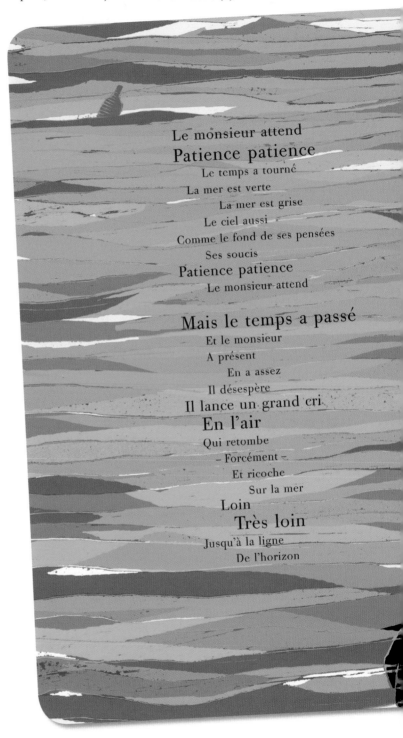

Débat

Le monsieur est-il heureux ?

Peut-on l'entendre quand il se met à crier ?

159

10

Extrait de *Le Chapeau, et c'est toujours la même histoire* (4)

Et la ligne bouge	Une princesse ?
Et le fil se tend	Non
Soudain	Une sirène ?
Ça y est	Non
Ça mord	Un poisson ?
Le bouchon s'enfonce	Oui
Le monsieur ferre	Un gros
Le monsieur tire	Géant
Et tire	Glouton
Encore	Plein de dents
Tout content de voir	Plein d'écailles
Enfin	Plein d'arêtes
Sa patience récompensée	Et dans le poisson ?
	Un chapeau melon
Mais… mais…	Ruisselant
qu'est-ce que c'est ?	Et dans le chapeau ?
Que ramène-t-il	Une jolie grenouille
Au bout de sa ligne ?	En vadrouille

Je recherche.

Dans cet album, tu as déjà rencontré un poisson.
Penses-tu que c'est le même ? Pourquoi ?

J'observe la langue.

La belle sirène a des écailles.   Elle a des écailles.

Les belles sirènes ont des écailles.   Elles ont des écailles.

Avec les lettres il / ille.

Que c'est ennuyeux !

Une **grenouille** enlève son **gre** et devient une **nouille**,
une **citrouille** abandonne son **ci** parce qu'elle a la **trouille**,
un **orteil** privé de son **l** inverse **i** et **e** pour se transformer en **ortie**…

Je me rappelle.

📖	le trav**ail** la p**aille**	un écur**euil** une f**euille**	le sol**eil** une bout**eille**	le fen**ouil** la r**ouille**
👁	**ail / aille** (a + il / ille)	**euil / euille** (eu + il / ille)	**eil / eille** (e + il / ille)	**ouil / ouille** (ou + il / ille)
👂	[aj]	[œj]	[ɛj]	[uj]

J'observe pour mieux lire.

ail / aille   ➜   un détail / le travail / une paille / une bataille

eil / eille   ➜   le soleil / une bouteille / une abeille

euil / euille ➜   l'écureuil / le fauteuil / une feuille

ouil / ouille ➜   le fenouil / une citrouille / mouiller / la rouille

un travail ➜ travailler / un réveil ➜ réveiller

Je lis.

1 Je lis des phrases.

1. Taille ton crayon et écris sur ta feuille de brouillon !
2. La grenouille surveille l'abeille qui se cache sous une feuille.
3. Le chevreuil se repose au soleil dans les broussailles.

2 Je lis sans hésiter.

ouille ! / je bâille / un épouvantail / ailleurs / les écailles

mes orteils / les gribouillis / pareil / elle se débrouille

le feuilleton / le portefeuille / meilleur / mouillé / le brouillard

Je lis ce texte.

Extrait de Le Chapeau, et c'est toujours la même histoire (5)

Il est si heureux

Le monsieur

Qu'il embrasse la grenouille

Juste là

Entre les deux yeux

« Si c'était une princesse, se dit-il,

Charmante

Et bonne cuisinière

Par-dessus le marché

Ou bien une fée

Avec une baguette

De pain

Et un petit litre

D'un bon petit vin

Hé ! Hé ! »

En réalité

C'est un peu gluant

Et visqueux

Là

À l'endroit

Où ses lèvres

se sont posées

Et la grenouille

Tout à coup

Se transforme

En rien du tout

[…]

Je recherche.

Qui le monsieur
pense-t-il embrasser ?

Débat

« Et la grenouille / Tout à coup /
Se transforme / En rien du tout »

À ton avis, pourquoi ?

Et c'est encore
Et toujours
La même histoire
Celle d'un monsieur
Qui rentre chez lui
Le soir
Satisfait
Heureux
Et pas bredouille

Car dans son panier
Il y a
Un poisson
Et une grenouille
Pour diner
Sans oublier
Un chapeau melon
Élégant
Pour inviter
Une demoiselle

À diner
Aux chandelles

Alors il s'en va
L'insouciant monsieur
Tout joyeux
Tout content
Le petit chapeau
Sur son crâne trop gros
Il marche
Un kilomètre
Puis deux
Sans se presser
Sans se douter
Un seul instant
Que le vent
– Forcément –
Va se mettre
À souffler…

J'écris.

« Le vent se met à souffler. »
Écris ce qui se passe alors.

163

1.

un chapeau

2.

une grenouille **dans** un chapeau

3.

une grenouille **et** un chapeau **dans** un poisson

4.

un monsieur qui pêche

5.

une grenouille **et** un chapeau **dans** un poisson

pris par

un monsieur qui pêche

▶ Que faut-il ajouter pour continuer l'histoire ?

Avec la lettre E.

Le **ciel** fait entendre son **l** comme **le miel**…

Le **bec** fait entendre son **c** comme **avec**…

La **mer** fait entendre son **r**, mais le **r** de **jouer** se tait, comme celui de **tousser** ou de **bâiller**…

Je me rappelle.

📖	le ci**el**	av**ec**	le f**er**	mang**er**	le n**ez**	un jou**et**
👁	**el** (e+l)	**ec** (e+c)	**er** (e+r)	**er** (e+r)	**ez** (e+z)	**et** (e+t)
👂	[ɛl]	[ɛk]	[ɛʀ]		[e]	[ɛ]

J'observe pour mieux lire.

el ➜ le ciel / le miel / un hôtel / du sel

ec ➜ avec / le bec / sec

er ➜ le fer / le ver de terre / la mer / vert

et ➜ un poulet / un robinet / un tabouret

👂 [ɛʀ] mer / ouvert

👂 [e] les / des

🚫👂 [ɛʀ] jouer / ranger

🚫👂 [e] deux filles / tu joues

Je lis.

1 **Je lis des phrases.**

    1. Voulez-vous jouer aux échecs avec Rachel ?

    2. Regardez ! Le poulet est perché sur le pommier !

    3. Avant de se coucher, Samuel dessine la mer dans son carnet violet.

2 **Je lis sans hésiter.**

le gel / un appel / le bonnet / le filet / le gilet / un caramel

le poignet / la forêt / le tunnel / s'énerver / chez / un jouet

le premier / les lacets / hier / traverser / aller / vous allez

C'est l'histoire d'un chapeau melon
qui s'envole à cause du vent et qui tombe
dans une rivière. Une grenouille
qui rêve de voyager saute dans le chapeau.
Ensemble, ils naviguent jusqu'à la mer.
Ils rencontrent un gros poisson qui les avale.
C'est l'histoire d'un monsieur qui pêche et qui est malheureux
parce qu'il fait gris. Il attend patiemment qu'un poisson
morde à l'hameçon. Un jour, le bouchon s'enfonce,
le monsieur attrape un gros poisson avec un chapeau melon
et une grenouille à l'intérieur.
Le monsieur est heureux car il a pêché un gros poisson,
une grenouille et trouvé un chapeau, Mais le vent se met
à souffler. Le chapeau s'envole à nouveau et l'histoire
recommence...

Et c'est toujours la même histoire...

Je recherche.

Le sous-titre de cet album est : *Et c'est toujours la même histoire.*
Pourquoi ?

J'imagine une histoire comme *Le chapeau.*

1.

   un doudou

2.

   un doudou **dans** un sac

3.

   un doudou **et** un sac **dans** un square

4. un enfant qui pleure

5.

   un doudou **et** un sac **dans** un square

   qui rencontrent un enfant qui pleure

J'écris.

À partir de ces images, invente une histoire
qui recommence toujours.

▶ **Je lis un nouveau texte.**

C'est l'histoire d'un enfant
Qui regarde par la fenêtre,
Parce qu'il s'ennuie,
Parce qu'il n'a pas d'amis,
Parce qu'il fait gris…

Mais c'est aussi l'histoire
D'un vieux monsieur
Qui attend sur le pas
de sa porte
Parce qu'il est seul,
Parce qu'il est fatigué,
Parce qu'on doit venir
le chercher…

« Qu'attends-tu, vieux
monsieur, pense l'enfant,
As-tu une fiancée ?
Des enfants ? As-tu aussi
des petits-enfants ? »

« Que regardes-tu, petit garçon,
pense le vieux monsieur,
Es-tu malade ? Puni ?
Es-tu juste un petit curieux ? »
C'est l'histoire d'un enfant
et d'un vieux monsieur,

Qui attendent,
Qui regardent,
Et leurs yeux se croisent,
Et ils se sourient…

C'est l'histoire d'un enfant
Qui s'éloigne de la fenêtre…
C'est l'histoire d'un vieux
monsieur qui monte dans un taxi…

▶ **Quel titre donnerais-tu à ce texte ?**

J'observe la langue.

Ⓐ L'enfant est devant la fenêtre.
Le**s** enfant**s** **sont** devant la fenêtre.
Il est devant la fenêtre.
Il**s** **sont** devant la fenêtre.

Ⓑ La grenouille est dans la mare.
Le**s** grenouille**s** **sont** dans la mare.
Elle est dans le chapeau.
Elle**s** **sont** dans le chapeau.

Une **bête** qui perd son chapeau remplace son **t** par
deux **l** et devient **belle**.
Un **prince** qui veut se marier ajoute deux **s** et un **e**
et trouve une **princesse**.
Une **fille** qui ne veut pas grandir chausse deux **t** et un **e**,
elle reste alors une **fillette**.

Je me rappelle.

📖	une **pelle**	une **cachette**	la **terre**	une **tresse**	un **renne**
👁	**elle** (e+lle)	**ette** (e+tte)	**erre** (e+rre)	**esse** (e+sse)	**enne** (e+nne)
👂	[εl]	[εt]	[εʀ]	[εs]	[εn]

J'observe pour mieux lire.

elle → des jumelles / belle / une manivelle / la dentelle

ette → une trompette / une lunette / une courgette

erre → le verre / une équerre / une pierre

esse → une promesse / la jeunesse / une ogresse

enne → la benne / qu'elle prenne / une antenne

Je lis.

1 **Je lis des phrases.**

   1. Juliette a cassé l'équerre de Pierre. Quelle vedette !

   2. La maitresse de maternelle raconte l'histoire de *Belle la Poulette*.

   3. Les rennes du Père Noël se mettent en route au son des clochettes.

2 **Je lis sans hésiter.**

   tu appelles / la recette / la coccinelle / une assiette / une miette

   mademoiselle / la mienne / la tienne / le tonnerre / Angleterre

   il serre / une caresse / la vitesse / la chienne / la dinette

Je lis un poème.

Dans Paris, il y a une rue ;

dans cette rue, il y a une maison ;

dans cette maison, il y a un escalier ;

dans cet escalier, il y a une chambre ;

dans cette chambre, il y a une table ;

sur cette table, il y a un tapis ;

sur ce tapis, il y a une cage ;

dans cette cage, il y a un nid ;

dans ce nid, il y a un œuf ;

dans cet œuf, il y a un oiseau ;

L'oiseau renversa l'œuf ;

l'œuf renversa le nid ;

le nid renversa la cage ;

la cage renversa le tapis ;

le tapis renversa la table ;

la table renversa la chambre ;

la chambre renversa l'escalier ;

l'escalier renversa la maison ;

la maison renversa la rue ;

la rue renversa la ville de Paris.

Paul Éluard, « Dans Paris, il y a... », illustrations de
Antonin Louchard, *Poésies intentionnelles* © Éditions Seghers.

Débat

Ce poème rappelle l'histoire du chapeau. Pourquoi ?

J'invente un poème.

Dans une forêt, il y a un arbre.

Dans cet arbre, il y a...

Dans ce trou, ...

Dans ce nid, ...

Sur ce hibou, ...

La puce renversa...

J'écris.

**Lis les débuts de phrase et complète-les pour écrire
un poème comme celui de Paul Éluard.**

▶ Je lis des petits poèmes de Jules Renard.

Les grenouilles

Par brusques détentes, elles exercent leurs ressorts.
Elles sautent de l'herbe comme de lourdes gouttes
d'huile frite. […]

Le serpent

Trop long.

Le ver

En voilà un qui s'étire et qui s'allonge
comme une belle nouille.

L'araignée

Une petite main noire et poilue
crispée sur des cheveux.

L'escargot

Il se promène dès les beaux jours,
mais il ne sait marcher que sur sa langue.

Jules Renard, *Histoires naturelles*.

Je recherche.

Pour chaque animal, l'auteur a repéré quelque chose de particulier.
Choisis un poème et explique ce qu'il a trouvé.

J'observe la langue.

Une grenouille se promène. Elle saute dans l'herbe.
Des grenouille**s** se promène**nt**. Elle**s** saute**nt** dans l'herbe.

Quelques lettres muettes.

Il rit avec un **t**, mais **tu ris** avec un **s**.

Il mange avec un **e** mais **tu manges** avec un **s**.

Et tous ensemble que font-ils ? **Ils rient** avec **ent**
et **ils mangent** avec **ent**.

Ces mots-là ne sont jamais contents,
ils se **cachent** derrière leur déguisement.

Je me rappelle.

📖	il ri**t**	tu ri**s**	tu mange**s**	ils ri**ent**	ils mang**ent**
👁	t		s		ent
👂	[t]		[s]		[ã]

J'observe pour mieux lire.

▶ **J'entends [ã].**
  👂 **douceme**n**t**

▶ **Je n'entends pas [ã].**
  ils parlent

Je lis.

1 **Je lis des phrases.**

   1. Les enfants jouent souvent au grand méchant loup.

   2. Les petites sorcières s'amusent toujours dans les bois.

   3. Les hérissons et les hiboux sortent tout le temps la nuit.

2 **Je lis sans hésiter.**

  il veut / elle peut / un fruit / content / ils comptent

  elles continuent / vraiment / elle crie / elles rient / le vent

  tu parles / je joue / le repas / ils chantent / je ris / elle dit

Je dois savoir écrire.

huit / lui / je suis / chez / parler / aller / mercredi / vert / sept

J'observe la fin des mots.

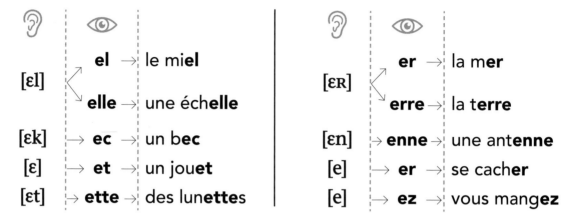

[ɛl]	**el** → le mi**el**	
	elle → une éch**elle**	
[ɛk]	→ **ec** → un b**ec**	
[ɛ]	→ **et** → un jou**et**	
[ɛt]	→ **ette** → des lun**ettes**	

[ɛʀ]	**er** → la m**er**
	erre → la t**erre**
[ɛn]	→ **enne** → une ant**enne**
[e]	→ **er** → se cach**er**
[e]	→ **ez** → vous mang**ez**

Je reconnais des lettres muettes.

lire ⟶ je li**s**   tu li**s**   elle li**t**

jouer ⟶ je jou**e**   tu jou**es**   il jou**e**   elles jou**ent**

Je sais remplacer des mots et faire des changements.

Une araignée a des poils noirs.   Elle a des poils noirs.

Des araignée**s** **ont** des poils noirs.   Elle**s** **ont** des poils noirs.

Le poisson est plein d'arêtes.   Il est plein d'arêtes.

Les poisson**s** **sont** plein d'arêtes.   Il**s** **sont** plein d'arêtes.

Je reconnais le singulier et le pluriel dans les phrases.

Une charmante fée embrasse un poisson. Elle se transforme en sirène

Des charmante**s** fée**s** embrasse**nt** un poisson. Elle**s** se transforme**nt** en sirène.

L'homme marche le long de la mer. Il observe le ciel.

Les homme**s** marche**nt** le long de la mer. Il**s** observe**nt** le ciel.

Ce que j'ai appris dans les albums.

Dans les histoires, il y a des personnages qui pourraient vivre dans notre monde :

- ce sont parfois des enfants (comme dans *Trop ceci cela*, *Le Petit Roi*, *L'Arbre lecteur* ou *C'est pas moi*).

- ce sont aussi des adultes : les parents, la maitresse, des voisins, etc.

Il y a aussi des personnages qui vivent dans un monde différent du nôtre, dans un autre pays par exemple, comme dans *Léon et son croco*.

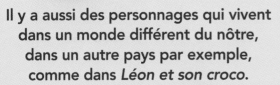

Tous ces personnages connaissent :
- une vie qui ressemble à la nôtre, (*Trop ceci cela*, *Le Petit Roi*, *C'est pas moi*) ;
- des évènements particuliers comme dans *Léon et son croco* par exemple.

Dans les histoires, il y a aussi des personnages qui n'existent pas vraiment dans la réalité :

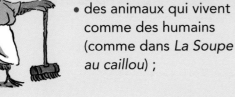

- des animaux qui vivent comme des humains (comme dans *La Soupe au caillou*) ;

- des personnages de contes : les princesses, les princes charmants, les vieilles reines (dans *La Princesse au petit pois*, les *Trois Cochons Petits et le prince charmant*).

Les histoires peuvent être écrites de différentes manières :

- par petits morceaux, en répétant plusieurs fois les mêmes phrases ;
- en faisant parler les personnages, en les faisant dialoguer ;
- en faisant raconter son histoire par un personnage ;
- par des informations différentes données dans le texte et dans l'image ;
- en mélangeant plusieurs histoires.

Illustrations :

Rémi Saillard, Jessica Secheret

Crédits photographiques
– p. 32 : Enfants faisant la ronde © iStock
– p. 44 : Crocodile © iStock
– p. 45 : Zèbre et crocodile © iStock ; tantale africain © Jean-Jacques Alcalay / Biosphoto ;
piranha © Vladimir Wrangel / Fotolia
– p. 46-ht : Crocodile du Nil (*crocodilus niloticus*) Ph. © Richard du Toit / NPL /Jacana / HPP
– p. 46-g : Alligator américain (*alligator mississipiensis*) Ph. Fritz Polking / Jacana / HPP
– p. 46 : 1. Crocodile du Nil © Sekarb / Fotolia ; 2. Crocodile du Nil © miniformat64 / Pixabay ;
3. Alligator © Lucybird / Pixabay ; 4. Crocodile © Fotolia
– pp. 74 à 76 : Fabrication d'un livre © Agnès Perrin
– pp. 81-82 : *Moi j'adore, maman déteste*, Élisabeth Brami, Lionel Le Néonamic
© Éditions Seuil Jeunesse
– p. 120 : *Cendrillon et la pantoufle de verre* – Gustave Doré (1832-1883) © Bridgeman Images
– p. 122 : Couvertures : *Les Trois Cochons Petits et Mère-Grand / Les Trois Cochons Petits et Boucle
d'or / Les Trois Cochons Petits et Cendrillon / Les Trois Cochons Petits et Blanche-neige*
© Belles Histoires, Bayard Jeunesse
– pp. 123-124 et 126 à 128 : Belles Histoires n°402 (avril 2006) Texte et illustrations Michel Van Zeveren
© Belles Histoires, Bayard Jeunesse, 2006
– p. 133-ht g : *La Chèvre de Monsieur Seguin*, coll. Père Castor-Flammarion.
Illustration d'André Pec, 1946 © André Pec, Flammarion
– p. 133-ht d : *Le Loup et l'agneau*, Jean de La Fontaine (1621-1695) - Gustave Doré (1832-1883)
Bibliothèque nationale de France, Paris. BIS / Ph. Coll. Archives Nathan
– p. 133-bas g : Loup d'Espagne. Ph. © Francisco Marquez / BIOS
– p. 134 : Loup gris Ph. © Daniel Cox / OSF / BSIP
– p. 149 : Salon du livre © « La Maman des poissons »
– p. 170 : *Dans Paris, il y a…* © Éditions Rue du Monde (couverture)

Carte
– pp. 44-45 : Domino

Direction éditoriale : Sylvie Cuchin
Édition : Anne Marty
Correction : Florence Richard
Conception de la maquette et mise en page : Anne-Danielle Naname / Adeline Calame
Recherche iconographique : Danièle Portaz / Laurence Vacher

N° de projet : 10219296
Dépôt légal : mars 2017
Achevé d'imprimer en Espagne en mars 2017 sur les presses de Graficas Estella